Johannes Schu...

MITTELSTUFE DEUTSCH

Lehrerhandbuch

Inhalt

Materialübersicht

1. Textbuch – Best.-Nr. 365
2. Schlüssel zum Selbststudium – Best.-Nr. 366
3. 2 Cassetten mit Texten und Übungen – Best.-Nr. 367
4. Arbeitsbuch – Best.-Nr. 368
5. Schlüssel zum Arbeitsbuch – Best.-Nr. 369
6. Arbeitsbuch mit Prüfungsvorbereitung – Best.-Nr. 379
7. 2 Cassetten mit den Hörverständnisübungen zur Prüfungsvorbereitung – Best.-Nr. 380
8. Schlüssel zum Arbeitsbuch mit Prüfungsvorbereitung – Best.-Nr. 381
9. Lehrerhandbuch – Best.-Nr. 370
10. 35 Diapositive zu den Themen des Lehrbuchs – Best.-Nr. 371
11. Lehrerpaket (Lehrerhandbuch, 2 Cassetten mit Texten und Übungen, 35 Dias) – Best.-Nr. 372
12. 21 Folien – Best.-Nr. 373

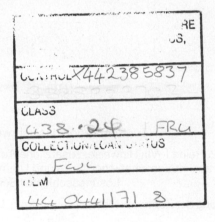
ISBN 3-88532-370-2

© 1992 VERLAG FÜR DEUTSCH
Max-Hueber-Straße 8. D-85737 Ismaning/München
1. Auflage der Neubearbeitung

| 5. | 4. | 3. | | Letzte Zahlen |
| 99 | 98 | 97 | 96 | gelten |

Satz: FoCo Tex Klaus Nowak, Berg/Starnberger See,
und Fotosatz Völkl, Puchheim
Druck und Bindung: Jos. C. Huber, Dießen
Printed in Germany

Zur Konzeption des Lehrwerks

Zielgruppe
Das Lehrwerk wurde für jugendliche und erwachsene Deutschlernende aller Ausgangssprachen geschrieben. Voraussetzung sind solide Grundkenntnisse der deutschen Sprache (wie sie etwa beim Zertifikat „Deutsch als Fremdsprache" des Goethe-Instituts und des Deutschen Volkshochschulverbandes verlangt werden). Homogene wie auch heterogene Kursgruppen können damit im In- und Ausland arbeiten. Es eignet sich sowohl zum Individual- als auch zum Gruppenunterricht, aber auch zum Selbststudium. Der „Schlüssel zum Selbststudium" gibt die notwendigen Hinweise und Erläuterungen und enthält außerdem ein umfangreiches Verb-Wörterbuch. Das Lehrwerk richtet sich nicht nur an Studenten oder Personen mit akademischer Vorbildung, es setzt aber ein bestimmtes Maß an Weltwissen, deutscher Landeskunde und das Wissen um den eigenen Kulturkreis voraus.

Materialien
Zu den Arbeitsmaterialien gehören das Lehrbuch, zwei Arbeitsbücher, zwei Toncassetten mit Hörverständnistexten, Diktaten, Übungen und den Lesetexten, dieses Lehrerheft mit Lösungsteil, wahlweise eine Diareihe oder vierfarbige Folien zu den Themen des Lehrbuches sowie der Schlüssel zum Selbststudium.

Arbeitsaufwand (Rahmenzeiten)
Das Lehrwerk kann innerhalb von zwei achtwöchigen Intensivkursen (ca. 22 Wochenstunden à 45 Min.) bewältigt werden. Bei einem extensiven Kurs sollten ca. 350 Unterrichtseinheiten dafür angesetzt werden. Diese Zahlen sind selbstverständlich nur Erfahrungswerte und werden durch das Vorwissen der Teilnehmer, den Umfang der übertragenen Hausaufgaben und die Gründlichkeit der Durchnahme der Lektionen relativiert.

Themen
Bei der Themenwahl des vorliegenden Lehrwerks wurde nicht versucht, besonders aktuell und modern zu wirken. Dies hätte zur Folge gehabt, daß die Themen schon in der Zeit zwischen Manuskript und Drucklegung tagespolitisch veraltet gewesen wären. Neben einem Einstufungstest werden sieben Themen angeboten, die als zeitlos gelten können und jederzeit durch Zusatzmaterialien aktualisierbar sind: Die Liebe und die liebe Familie; Medien; Krieg und Frieden; Naturwissenschaft und Technik; Aus der Welt der Wirtschaft; Ausländer und Deutsche; Reisen, Auto und Verkehr. Diese Themen lassen einen interkulturellen Vergleich zu: Wie ist das bei uns, wie ist das bei euch? Einige bieten sich geradezu zur Diskussion an, wenn Teilnehmer aus verschiedenen Nationen an einem Tisch sitzen: Erhaltung des Friedens, weltweite Konsequenzen der neuen Technologien, Gestaltung der wirtschaftlichen Beziehungen, Identitätsprobleme von Ausländern, zunehmende Mobilität durch das Auto und die Probleme des Massentourismus. Wenn die Vermittlung von Sprache das Ziel hat, neben der bloßen sprachlichen Verständigung auch das Verständnis für andere Rassen, Religionen und Kulturkreise zu fördern, sind diese Themen von bleibendem Interesse.
Eine besondere Funktion kommt dem Thema Naturwissenschaft und Technik zu:

Diese Reihe ist als Vorbereitung für den gezielten Fachsprachenunterricht gedacht. Hier werden Grundlagen eingeübt, die die spätere berufsbezogene sprachliche Ausbildung erleichtern sollen. Es wurde jedoch versucht, diese Basis so allgemein zu halten, daß die Reihe auch ohne besonderes technisches oder naturwissenschaftliches Vorwissen und Interesse zu bewältigen ist.

Textsorten
Die Textsorten haben ein breites Spektrum: Dialog, Bericht, Diskussion, Referat, Brief, Bewerbung, Annonce, fiktionaler Text, Lyrik, Parabel, Korrespondenz, Kurzgeschichte, Fachtext, Kommentar, telefonische Ansage oder Interview spiegeln die vielfältigen Formen gesprochenen und geschriebenen sprachlichen Handelns wider, denen der Kursteilnehmer begegnet, und sorgen, zusammen mit häufigem Medienwechsel, für einen abwechslungsreichen Unterricht. Obwohl es sich bei der Mehrzahl um authentische (oft verkürzte) Texte handelt, sind einige unter dem Primat des zu behandelnden grammatischen Phänomens konstruiert worden. Der Verfasser hofft, daß diese Texte nicht gestelzt klingen und die grammatische Intention nicht zu aufdringlich wirkt.

Grammatik
Es besteht weit verbreitet die Ansicht, daß in einem Mittelstufenkurs eine grammatische Progression nicht mehr möglich und auch nicht mehr erforderlich sei. Hingegen wird allgemein Wert gelegt auf Authentizität der Texte, deren Anteil sich je nach didaktischem und methodologischem Zeitgeist in Richtung Literatur, Zeitungstexte, Sach- und Fachtexte bis hin zu Liedern im Unterricht verschieben kann. Die Rolle der Grammatik wird in der Mittelstufe vielfach unterschätzt. Jeder Autor nimmt hingegen gern für sich in Anspruch, ein „kommunikatives" Unterrichtswerk geschrieben zu haben, aktuelle und zur Diskussion anreizende Texte zu benutzen, den Kursteilnehmer in den Mittelpunkt des Lerngeschehens zu stellen, vom Frontalunterricht abzugehen, Gruppenunterricht zu fördern. Der Lehrer soll dabei die Möglichkeit erhalten, sich als Lehr- und Autoritätsperson zurückzunehmen. Lernen soll als soziales Geschehen begriffen werden. Erhebt man diese guten Vorsätze zum Dogma, werden allerdings viele Lehrer und Kursteilnehmer überfordert. Gerade die aktuellsten Texte veralten am schnellsten; was heute heiß diskutiert wird, ist eben morgen der Schnee von gestern. Auch Arbeitsformen wie Gruppen- oder Partnerarbeit sind in den meisten Ländern ungewöhnlich. Die Rolle des Lehrers als Primus inter pares stößt oft auf Ablehnung.

Es kann nach meinem Verständnis nicht die Aufgabe in den knapp bemessenen Unterrichtsstunden sein, die traditionellen Lerngewohnheiten verschiedener Kulturen aufzubrechen, Lernen zu einem emanzipatorischen Akt umzugestalten, eigene Normen zu oktroyieren, ausländische Lehrer damit zu verunsichern und Kursteilnehmer verblüfft und ratlos auf der Strecke zu lassen. Es sollte nicht in missionarischem Eifer versucht werden, den Deutschunterricht an Ausländern als Mittel zu benutzen, die Lernsozialisation von bereits Erwachsenen neu zu prägen. Erwachsene haben im allgemeinen weniger Zeit und bemessen den Wert eines Lehrwerks an der Effizienz. Zur Motivation gehört es, den Kursteilnehmern das Gefühl zu vermitteln, in jeder Lektion etwas Bestimmtes, Definierbares gelernt zu haben. Diesem Zweck dient die ihnen aus der Grundstufe vertraute grammatische Progression, die im Lehrwerk erkennbar ist.

Es handelt sich bei *Mittelstufe Deutsch* nicht etwa um einen „Steinbruch", aus dem der Lehrer nach den Interessen der Schüler geeignete Themen auswählen sollte. Vielmehr wurde der Versuch gemacht, die grammatische Progression der Grundstufe, die dem Kursteilnehmer als Treppengeländer Schritt für Schritt nach oben half, fortzusetzen. Freilich treffen wir dabei auf nicht viel Neues: Es ist das Anliegen des Autors, den schwierigen Grammatikstoff der Grundstufe zu wiederholen, zu festigen und zu vertiefen. Grobe und häufige Fehler im Gebrauch der deutschen Syntax sollte man zuerst eliminieren, bevor die Kursteilnehmer ohne sicheres Fundament in die feinen Verästelungen grammatischer Phänomene eingeführt werden. Vor allem in den Teilen „Weitere Übungen" ist dann der Stoff der Mittelstufe verarbeitet, der zusammen mit den Übungen des Arbeitsbuches als Vorbereitung auf die Zentrale Mittelstufenprüfung dienen kann.

Bestimmten Themen lassen sich bestimmte grammatische Häufigkeiten zuordnen: Beim Thema „Medien" bot sich als Auffälligkeit der Konjunktiv I an, den wir häufig in der Berichterstattung vorfinden. Für das Thema „Krieg und Frieden" eignete sich besonders der Konjunktiv II *(Was wäre, wenn ...)*, das Futur I (Vermutung, Utopie) sowie die vielen substantivierten Adjektive, die innerhalb der Thematik Verwendung finden (*Tote, Verwundete, Verletzte, Gefangene, Verbündete,* etc.). Technische Fachtexte zeigen eine ungewöhnliche Häufung von Funktionsverbgefügen (*zum Durchbruch kommen, in Gang kommen,* etc.) sowie der Konjunktion *je – desto.* Die Komparation schließlich fand sich bei der Entwicklung menschlicher Leistung *(schneller, weiter, höher):* Das Guinness-Buch der Rekorde ist eine wahre Fundgrube. Aus diesem Grund wurde die Komparation in Zusammenhang mit den Auto-Superlativen verarbeitet.

Das grammatische Beschreibungssystem und die Nomenklatur des Lehrbuches entsprechen der traditionellen und internationalen Grammatikterminologie und berufen sich auf keine der bekannten linguistischen Schulen. Um die Verständlichkeit zu erhöhen, wird teilweise auf Kosten der Exaktheit der Sprachbeschreibung auf eine größere Ausführlichkeit der Darstellung verzichtet.

An dieser Stelle seien einige deutsche Grammatiken genannt, auf die in diesem Lehrerhandbuch Bezug genommen wird und die zur Unterrichtsvorbereitung nützlich sind:

Der große Duden, Grammatik der deutschen Gegenwartssprache
Band 4, Bibliographisches Institut Mannheim/Wien/Zürich 1984.
Johannes Erben: *Deutsche Grammatik. Ein Abriß.* Max Hueber Verlag, Ismaning bei München 1980.
Gerhard Helbig/Joachim Buscha: *Deutsche Grammatik. Ein Handbuch für den Ausländerunterricht.* Verlag Enzyklopädie, Langenscheidt, Leipzig 1989.
Dora Schulz/Heinz Griesbach: *Grammatik der deutschen Sprache.* Max Hueber Verlag, Ismaning bei München 1988.
Hilke Dreyer/Richard Schmitt: *Lehr- und Übungsbuch der deutschen Grammatik.* Verlag für Deutsch, München 1990; Neubearbeitung 1991.

Wortschatzerweiterung

Der Kursteilnehmer soll sicher sein, daß er nach der Durcharbeitung des Buches seinen aktiven und passiven Wortschatz wesentlich erweitert hat. Beim flüchtigen Durcharbeiten von Zeitungstexten o. ä. gehen neue Vokabeln meist nicht ins Langzeitgedächtnis über, sondern werden nur für eine kurze Zeitspanne verstanden. Um diesem Übel abzuhelfen, wird auf die tradierte Methode des Aufschreibens von neuen Vokabeln zurückgegriffen. Im Anschluß an jede Lektion findet der Kursteilnehmer eine Vokabelseite, die es ihm ermöglicht, ihm wichtig erscheinende Vokabeln – getrennt nach Nomen, Verben, Adjektiven, Redewendungen, Sonstigem – einzutragen. Da sich Lernen zum weitaus größten Teil über den visuellen Kanal vollzieht, werden auch die Nomen nach ihrem Artikel getrennt eingetragen. Falls mehr Vokabeln anfallen, als die Vokabelseite faßt, kann sich der Kursteilnehmer Kopien leerer Vokabelseiten des Buches anfertigen und sie abheften. Man kann die Seiten sammeln und sich auf diese Weise ein Vokabelheft zulegen. Die Beibehaltung desselben Prinzips ist dann auch bei Verwendung anderer Lehrwerke empfehlenswert.

Probleme des Mittelstufenunterrichts

Da die Kursteilnehmer bereits nach der Grundstufe einen großen Teil des Grundwortschatzes beherrschen und mit diesem den überwiegenden Teil ihrer sprachlichen Intentionen erfolgreich realisieren können, werden Fortschritte im nicht eingrenzbaren, scheinbar uferlosen Aufbauwortschatz kaum mehr wahrgenommen. Die Vorbereitung des Mittelstufenunterrichts besteht nicht selten in der Durchsicht der Tageszeitung nach interessant erscheinenden Artikeln, die kurz vor Unterrichtsbeginn kopiert und dann verteilt werden. Die Texte werden gelesen, unklare Stellen semantisiert, grammatische Strukturen erläutert und Inhalte diskutiert. All dies geschieht nach dem Zufallsprinzip der Ergiebigkeit eines solchen Textes. Da keine Nachbearbeitung des Gelernten, kein Transfer, keine Anwendung erfolgt, gerät beim Kursteilnehmer alles rasch in Vergessenheit. Apologeten dieses Unterrichts berufen sich auf die notwendige Authentizität der rasch wechselnden Texte, die eben nun mal nicht ursprünglich für Deutschlernende geschrieben wurden.

Dies reicht bei weitem nicht aus, denn die entstehende Zettelwirtschaft gibt dem Schüler das Gefühl eines konzeptionslosen Unterrichts nach einer straff strukturierten Grundstufe. Der neue Freiraum, den die erworbene sprachliche Kompetenz mit sich bringt, wird nur von wenigen verwirklicht. Viele Kursteilnehmer wünschen sich statt der pausenlos von ihnen geforderten Diskussionsbereitschaft nun wieder die Zeit zurück, in der man in Ruhe eine grammatische Übung erledigen konnte. Mir scheint, daß der Bruch zwischen der Grund- und der Mittelstufe für viele zu groß ist. Dieses Lehrwerk soll einen bescheidenen Beitrag liefern, diesen Übergang etwas reibungsloser zu gestalten, damit dann das Pensum der Mittelstufe bewältigt werden kann.

Liebe Lehrerin, lieber Lehrer,

jedes Lehrwerk kann verbessert werden.
Wenn Sie mit der „Mittelstufe Deutsch" arbeiten und sich über etwas ärgern, Verbesserungsvorschläge haben oder eigene Übungen einbauen möchten, schreiben Sie mir.

Herzlichen Dank!
Ihr Johannes Schumann

Ihre Zuschrift erreicht mich über den
Verlag für Deutsch, Max-Hueber-Str. 8,
D-85737 Ismaning/München

Reihe I: Die Liebe und die liebe Familie

Auf Cassette wurden folgende Texte und Übungen aufgezeichnet:

Sterben die Deutschen aus? (S. 9/10)
Lückendiktat (S. 11)
Übung: Zusammengesetzte Nomen (S. 12)
Erich Kästner: *Sachliche Romanze* (S. 14)
Hören und verstehen (S. 17)
Übung: Bilden Sie Adjektive (S. 19)
Hören und verstehen (S. 21)
Übung: Finden Sie die Nomen (S. 24)
Liebe (S. 26)
Kurt Tucholsky: *Frauen von Freunden* (S. 27)
Erich Fromm: *Ist Lieben eine Kunst?* (S. 30/31)

Die Lektion vertieft zunächst die Erweiterung des Nomenvorrates durch Zusammensetzungen (Komposita). *(Haus, Tür – Haustür)*
Vgl. hierzu: Erben, S. 128ff.; Duden, S. 403ff.; Schulz/Griesbach, S. 110ff.

S. 8

Hilfen zum nachfolgenden Text
bezogen auf, mit, innerhalb, für, im, um, gegenüber, nach, um, für, in, zur, zum
1. die Wünsche nach Kindern
2. die Wünsche der Kinder (von Kindern)

S. 11

Diskutieren Sie die materiellen und immateriellen Vor- und Nachteile des Kinderreichtums in Industrie- und Entwicklungsländern.

Lückendiktat
Methodischer Hinweis: Falls Sie über einen Overhead-Projektor verfügen, kopieren Sie die Lehrbuchübung auf eine Folie. Während des Diktats lassen Sie die Lücken auf der Folie ausfüllen. Legen Sie dann zur Selbstkontrolle der Schüler die Folie auf.

Seit 1816 hat sich die Bevölkerung auf dem Gebiet der heutigen Bundesrepublik fast versechsfacht, von 13,7 Millionen auf 79,7 Millionen (1991).
Bis 1972 übertraf die Zahl der Lebendgeborenen die der Todesfälle zu allen Zeiten mit Ausnahme der Jahre 1917/18 und 1944/45. Seit 1900 sank die Säuglingssterblichkeit dramatisch von 25 Prozent (1900) auf 10 Prozent (1925) und 5 Prozent (1939). Heute liegt sie bei 0,75 Prozent. In derselben Zeit verlängerte sich die durchschnittliche Lebenserwartung eines Neugeborenen von 35 Jahren (1900) auf 50 Jahre (1914) und 60 Jahre (1939). Jetzt beträgt sie für Frauen 79, für Männer

72 Jahre. Beide Tendenzen haben dazu beigetragen, daß heute auf einem Quadrat-kilometer der Bundesrepublik 222 Menschen leben, um 1871 waren es 82.

Richtig oder falsch?
1 falsch 2 richtig 3 richtig 4 falsch

Zusätzliche schriftliche Aufgabe
Lassen Sie schriftlich zusammenfassen, was zu folgenden Stichpunkten im Text ge-sagt wurde:
1. Bevölkerungszahl
2. Verhältnis von Geburten und Todesfällen
3. Säuglingssterblichkeit
4. Lebenserwartung
5. Bevölkerungsdichte

S. 12
Wortbildung
I. Zusammengesetzte Nomen
1. die Plastiktüte 2. die Zimmerdecke 3. das Bücherregal 4. die Bügelmaschine
5. die Sturmwarnung 6. die Bratpfanne 7. die Lederhandschuhe 8. das Kalb-fleisch 9. das Stadtzentrum 10. die Seeluft

Lassen Sie von den Schülern andere zusammengesetzte Nomen ohne Fugen-*s* fin-den, evtl. nach folgendem Muster:
A: „Der Platz, auf dem der Markt stattfindet ...“
B: „Der Marktplatz.“
B: „Die Tür des Hauses ...“
A: „Die Haustür.“
etc.
(Schlüsselloch, Fensterscheibe, Handtuch, Autoradio, Bilderrahmen, Geldschrank, Wasserleitung, Flaschenöffner, Wandteppich, Eisenbahn, Kreditkarte, Ofenrohr, Arzthelferin, Regenschirm, Kellerfenster, usw.)

II. mit Fugen-*s*
1. die Kindheitserinnerung 2. die Anwesenheitspflicht 3. der Trainingsanzug 4. die Säuglingspflege 5. der Demonstrationszug 6. die Positionslichter 7. die Lieblings-speise 8. das Flüchtlingslager 9. die Wirtschaftskrise 10. der Verwandtschaftsgrad 11. das Qualitätserzeugnis 12. das Elektrizitätswerk 13. das Leitungswasser 14. die Zeitungslektüre

Evtl. andere Bestimmungswörter üben. Je nach Vorkenntnis schlagen Sie das Grund- oder Bestimmungswort vor:
Gelegenheit (Arbeiter), Krankheit (Symptom), Freiheit (Statue), Sicherheit (Denken), Geschwindigkeit (Begrenzung), Tätigkeit (Merkmal), Sauberkeit (Fanatiker), Univer-sität (Bibliothek), Produktivität (Rate), Solidarität (Aktion), Hering (Salat), Häuptling (Zelt), Lehrling (Gehalt), Schmetterling (Flügel), Schädling (Bekämpfung), Abteilung (Leiter), Entwicklung (Hilfe), Empfehlung (Schreiben), Zahlung (Schwierigkeiten),

Wirkung (Weise), Erholung (Reise), Mannschaft (Trikot), Gesellschaft (Kleidung), Botschaft (Gebäude), Meisterschaft (Spiel)

III. ohne *e:*

1. *Miet-:*	erhöhung, vertrag, verhältnis, zins, kaution, wohnung, usw.
2. *Schul-:*	bildung, arbeit, aufgaben, zeugnis, rat, schiff, zeit, usw.
3. *Sprach-:*	gefühl, lehrer, lehre, rohr, wissenschaft, fehler, usw.
4. *Kirsch-:*	wasser, baum, kern, blüte, kuchen, torte, usw.
5. *Eck-:*	pfeiler, stein, bank, zahn, ball, haus, usw.
6. *Kontroll-:*	rat, zählung, gang, apparat, organ, stempel, lampe, usw.
7. *Brems-:*	probe, belag, licht, pedal, flüssigkeit, spur, usw.
8. *Grenz-:*	linie, kontrolle, verkehr, land, gänger, schutz, wert, usw.
9. *Straf-:*	maß, arbeit, mandat, gesetz, porto, sache, recht, usw.
10. *Lehr-:*	kraft, plan, mittel, ziel, satz, fach, stuhl, buch, usw.
11. *Stimm-:*	bruch, gabel, bänder, recht, abgabe, enthaltung, usw.

IV.

der Schulhof, die Säuglingssterblichkeit, der Kirchturm, das Sicherheitsrisiko, die Geschwindigkeitsbegrenzung, das Meisterschaftsspiel, der Pappkarton, die Fernreise, der Zeitungsartikel, die Wolljacke, das Diskussionsthema

S. 13

Wie sagen Sie kürzer?
1. das Einzelkind 2. das Vorderteil 3. die Höchstgeschwindigkeit 4. das Mindestalter 5. der Hinterausgang 6. der Innenhof 7. die Außenwelt 8. die Gesamtzahl 9. das Halbjahr 10. die Kleinstadt 11. die Privatadresse 12. Rotwein 13. der Rundbogen 14. das Hochhaus 15. ein Doppelfenster 16. eine Sonderprämie 17. das Hinterrad

Wie heißt das Gegenteil?
1. Nein, das ist der Nebeneingang. 2. Nein, ein Einzelzimmer. 3. Nein, eine Mindestgeschwindigkeit von 50 km/h (Kilometern pro Stunde). 4. Nein, Vollmond. 5. Nein, (lieber) durch die Hintertür. 6. Nein, auf dem Rückflug. 7. Nein, eine Linkskurve. 8. Nein, aber Süddeutschland. 9. Nein, der Vorderreifen. 10. Nein, die Innentemperatur ist höher. 11. Nein, als Nebenfach. 12. Nein, Linksextremist. 13. Nein, im Doppelbett. 14. Nein, der Außenminister.

Zusatzübung: *Wie sagen Sie kürzer?*
1. der besondere Zug (Sonderzug) 2. die beste Leistung (Bestleistung) 3. die äußere Alster (Außenalster, See in Hamburg) 4. die mindeste Anforderung (Mindestanforderung) 5. der höchste Gewinn (Höchstgewinn) 6. der kleine Wagen (Kleinwagen) 7. die warme Luft (Warmluft) 8. der besondere Fall (Sonderfall) 9. die private Wohnung (Privatwohnung) 10. das einzelne Stück (Einzelstück) 11. der vordere Eingang (Vordereingang) 12. der mittlere Finger (Mittelfinger)

Das **Präteritum** wird im folgenden Teil wiederholt. Es wird in den Grammatiken an folgenden Stellen ausführlich behandelt: Duden, S. 87ff.; Erben, S. 83ff.; Helbig/Buscha, S. 126f.; Schulz/Griesbach, S. 46f.; Dreyer/Schmitt, S. 33ff.

Wer war Kästner?

lebte, schrieb (verfaßte), verbrannten (vernichteten), ging, blieb, erhielt (bekam)

S. 14

Kästner: Sachliche Romanze

kannten, kam, waren, versuchten, sahen (an), wußten, weinte, stand, sagte, spielte, gingen, rührten, saßen, sprachen, konnten

Für Poeten

Um mögliche Hemmungen oder Sprachschwierigkeiten bei den Kursteilnehmern zu überwinden, schlage ich vor, ein kleines Gerüst von Reimen als Vorgabe zu geben:
z. B. Herz, Schmerz, Nerz
treu, scheu, neu
mag, sag, trag, lag, frag
allein, sein, mein, dein, fein, kein, ein
lieb, trieb, Sieb, schrieb, gib, blieb
aus, Haus, raus, Klaus, Maus, Laus
usw.

S. 15

Elemente

1. Unsere Liebe fing vor acht Jahren an.
2. Erich sah sehr gut aus, und er lief mir nach.
3. Anfangs gingen wir häufig aus.
4. Ich zog mich chic an, und er holte mich ab.
5. Er brachte mir gewöhnlich Blumen mit.
6. Es kam oft vor, daß wir erst spät nach Hause zurückkehrten.
7. Manchmal wachte ich nachts auf und dachte lange über unsere Beziehung nach.
8. Aber bei Diskussionen hörte er mir nicht mehr zu und schlief immer sofort ein.
9. Eines Tages brachte ich ihm alle Geschenke zurück.
10. Ich machte ihm nicht mehr die Tür auf.
11. In dieser Zeit nahm ich sechs Kilo ab.
12. Ich nahm mir vor, mich nie mehr zu verlieben.
13. Schließlich fuhr er allein für einige Wochen weg.

Sortieren Sie die Verben

ie:

bewies, blies, briet, fiel, hielt, ließ, lief, lieh, mied, riet, rieb, schien, schlief, schrieb, schrie, schwieg, stieg, stieß, unterschied, verzieh

i:

ging, glich, griff, hing, litt, riß, ritt, schnitt, strich, stritt, verglich

Lassen Sie zu einigen Verben Sätze im Präsens bilden!
Andere sollen diese ins Präteritum übertragen.

Zusätzlich können Sie Nomen zu den meisten Verben finden lassen: der Beweis, der Bläser, der Braten, der Fall, der Gang, die Gleichung, der Griff, der Halt, der Hang, der Lauf, das Leiden, der Rat, die Reibung, der Riß, der Ritt, der Ruf, der Schein, der Schlaf, der Schnitt, das Schreiben, der Schrei, das Schweigen, die Steigung, der Stoß, der Strich, der Streit, der Unterschied, der Vergleich, die Verzeihung

S. 17

Freie Sprechübung (hier: Zusätzliches schriftliches Spiel)

Sie können ähnliche Sätze von kleinen Gruppen auch schriftlich bilden lassen: Geben Sie eine Liste mit temporalen oder lokalen Adverbien aus. Sie wird gefaltet, und die zweite Person schreibt ein Verb im passenden Tempus dazu. Nun wird die Liste wieder gefaltet, und der nächste Spieler schreibt eine bekannte Persönlichkeit dazu und faltet das Papier noch einmal. Der nächste Spieler schreibt nun ein Objekt dazu:

Beispiel: *Vorgestern/saß/Onkel Otto/in der Badewanne*
Es werden auf diese Weise mehr oder weniger sinnvolle und oft ganz witzige Sätze gebildet, und man lernt so auf spielerische Art, daß nach temporalen und lokalen Adverbien das Verb vor dem Subjekt steht.

temporal:

abends	anfangs	augenblicklich
bald	inzwischen	schon
bis jetzt	jetzt	selten
bisher	jährlich	soeben
damals	künftig	sofort
dann und wann	kürzlich	spät
eben	lange	später
einst	manchmal	stets
einstmals	meistens	ständig
endlich	mitunter	stündlich
erst	morgen	täglich
früh	nachher	von altersher
für immer	nachts	vorgestern
gestern	neulich	wöchentlich
gewöhnlich	nie	zeitlebens
gleich	niemals	zuerst
heute	nun	zuletzt
häufig	oft	öfters
immer	oftmals	übermorgen
immerzu	plötzlich	

lokal:

anderswo	herab	links
anderswoher	herauf	nirgends
anderswohin	herunter	nirgendwo
aufwärts	herüber	nirgendwoher
außen	hier	nirgendwohin

11

da	hierher	oben
daheim	hierhin	rechts
daneben	hinab	rückwärts
darin	hinauf	unten
darunter	hinaus	vorn
darüber	hinein	vorwärts
dazwischen	hinten	woanders
dort	hinunter	woandersher
dorther	hinüber	woandershin
dorthin	innen	überall
draußen	irgendwo	überallher
drin	irgendwoher	überallhin
drinnen	irgendwohin	

S. 17

Finden Sie ein Nomen mit „i"

der Beginn, der Gewinn, der Griff, die Hilfe, der Riß, der Biß, der Ritt, der Schnitt, der Schritt, der Sitz, der Stich, der Strich, der Tritt

Hören und verstehen

Zum Thema „Mann und Frau" bietet sich folgender Zeitungsartikel an:

Schadensmeldung an die Unfallversicherung (Frankenpost)
Ich wollte Fenster putzen. Damit ich von außen an das Fenster herankomme, legte ich ein Bügelbrett auf die Fensterbank. Mein Mann, der schwerer ist als ich, setzte sich innen auf das Bügelbrett, und ich putzte, auf dem Brett stehend, das Fenster von außen. Plötzlich klingelte es an der Haustür. Als mein Mann unten öffnete, fand er mich vor dem Eingang liegend. Wir wissen bis heute nicht, wer geklingelt hat.

S. 18

Gemischte Verben und Gefühle

nannte, wandte, sandte, rannte, brannte, wußte, dachte, brachte

S. 19

Sortieren Sie die Verben

a:
begann, band, brach, empfahl, aß, fand, galt, half, las, lag, maß, schwamm, schwang, sang, sank, saß, stach, stand, starb, zwang

o:
bog, bot, flog, floh, floß, fror, genoß, goß, hob, log, schob, schloß, verlor, wog, zog

u:
grub, lud, schlug, trug, wuchs, wusch

Zusätzliche Übung zum Präteritum: *Damals ...*
Bilden Sie Sätze.

Beispiel:
Heute reist man im Düsenjet ins Ausland.
Aber zu meiner Zeit wanderte man noch durch Deutschland.
Als ich jung war, ...
Damals ...
Früher ...
1. die Häuser verschließen 2. täglich duschen 3. sich anrufen 4. fast täglich Fleisch essen 5. erst mit achtzig Jahren sterben 6. helle Kleidung tragen 7. schnell die Geduld verlieren 8. zum Mond fliegen 9. selten Lieder singen 10. nur wenige Kinder haben 11. täglich fernsehen

Vorgeschlagene Lösungen:
1. Aber zu meiner Zeit ließ man die Türen offen. 2. ... badete man nur einmal in der Woche. 3. ... schrieb man sich öfter lange Briefe. 4. ... aß man seltener Fleisch. 5. ... starben viele Leute schon mit fünfzig. 6. ... trug man dunkle Kleidung. 7. ... war man geduldiger. 8. ... reiste man höchstens in die nächste Stadt. 9. ... sang man oft gemeinsam 10. ... hatte man eine große Familie 11. ... unterhielt man sich mit Spielen und Geschichten.

Bilden Sie Adjektive
kindlich, väterlich, mütterlich, brüderlich, verwandtschaftlich, lieblich (liebevoll), tödlich, erblich, ehelich, vertraulich

S. 21
Hören und verstehen
Nennen Sie den Oberbegriff.
1. die Geduld, die Pünktlichkeit, die Tugend, der Fleiß
2. der Fluß, das Gewässer, der See, der Teich
3. der Maler, der Seiltänzer, der Künstler, der Bildhauer
4. die Banane, die Frucht, die Pampelmuse, die Orange
5. das Salz, der Pfeffer, das Gewürz, die Paprika*
6. das Kleidungsstück, der Schal, die Weste, der Anorak
7. der Panther, das Raubtier, der Löwe, der Leopard
8. das Besteck, der Löffel, die Gabel, das Messer
9. die Cola, die Limo, das Getränk, der Weißwein
10. die Waage, das Meßinstrument, der Tacho, das Thermometer
11. der Akademiker, der Jurist, der Arzt, der Richter
12. der Weizen, das Getreide, der Hafer, der Roggen
13. die Nadel, das Nähzeug, der Faden, der Fingerhut
14. der Handwerker, der Maurer, der Schlosser, der Klempner
15. der Laster, der Pkw, das Motorrad, das Fahrzeug
16. die Trunksucht, das Laster, der Geiz, das Rauchen
17. der Dollar, die Mark, der Rubel, die Währung
18. der Krug, die Vase, die Kanne, das Gefäß
19. der Smaragd, der Diamant, der Edelstein, der Rubin
20. der Tabak, der Alkohol, der Tee, das Genußmittel

---
* eigentlich: der Paprika, aber häufiger: die Paprika(schote)

Lösungen:

1. die Tugend	8. das Besteck	15. das Fahrzeug
2. das Gewässer	9. das Getränk	16. das Laster
3. der Künstler	10. das Meßinstrument	17. die Währung
4. die Frucht	11. der Akademiker	18. das Gefäß
5. das Gewürz	12. das Getreide	19. der Edelstein
6. das Kleidungsstück	13. das Nähzeug	20. das Genußmittel
7. das Raubtier	14. der Handwerker	

Stellen Sie Zusatzfragen nach dem Oberbegriff: Was ist Pfeffer? Was ist ein Pkw? Was ist Weizen? Was ist ein Leopard?

Temperamente

Choleriker: die Wut, die Leidenschaft, der Jähzorn, die Unbeherrschtheit
Melancholiker: die Schwermut, der Pessimismus, die Langsamkeit, der Trübsinn
Phlegmatiker: die Behäbigkeit, die Gleichgültigkeit, die Gemütlichkeit, die Schwerfälligkeit
Sanguiniker: die Beweglichkeit, die Lebhaftigkeit, die Leichtblütigkeit, der Optimismus

S. 22

Mann und Frau
V – O – R – U – R – T – E – I – L – E

Adjektive
Mit den genannten Adjektiven charakterisiert man den Wein. Es bleibt zu überlegen, warum der Wein mit Merkmalen beschrieben wird, die zum Teil mit Frauen assoziiert werden können.

Finden Sie ein maskulines Nomen mit „u"
(sämtlich maskulin): Bruch, Fund, Flug, Fluß, Genuß, Guß, Geruch, Ruf, Schwund, Schwung, Spruch, Verlust, Wuchs, Zug

S. 24

Finden Sie Wortpaare
1. Glanz und Gloria 2. mit Haut und Haaren 3. Gift und Galle 4. Kind und Kegel 5. Sack und Pack 6. fix und fertig 7. kurz und klein 8. Kopf und Kragen 9. Geld und Gut, Haus und Hof 10. Lust und Laune (Liebe) 11. Hinz und Kunz 12. Tür und Tor 13. Rast und Ruh 14. Himmel und Hölle

Was bedeutet ...?
Lassen Sie Beispielsätze bilden.
1. Viele Lehrer haben einen Spitznamen, der typisch für ihr Aussehen oder ihren Charakter ist.
2. Klaus wollte gern mit Marion tanzen, aber sie gab ihm einen Korb und ließ ihn stehen.
3. Wer sich durchsetzen kann, realistisch ist und auch im Beruf mit beiden Beinen fest auf dem Boden steht, der steht seinen Mann.

4. Er liebt nur sie und ist treu wie Gold. Er hat sie nie im Stich gelassen.
5. Wer kurzfristig den Partner wechselt (untreu wird), macht einen Seitensprung.
6. Wenn die Frau die Rolle übernimmt, die meistens für das Verhalten von Männern typisch ist, sagt man, daß sie die Hosen anhat.

Finden Sie die Nomen

binden	–	das Band	graben	–	das Grab/der Graben
braten	–	der Braten	klingen	–	der Klang
denken	–	der Gedanke	liegen	–	die Lage
fahren	–	die Fahrt	messen	–	das Maß
fallen	–	der Fall	raten	–	der Rat
fangen	–	der Fang	singen	–	der Gesang
geben	–	die Gabe	stehen	–	der Stand
stehlen	–	der Diebstahl	befehlen	–	der Befehl
tun	–	die Tat	empfehlen	–	die Empfehlung
zwingen	–	der Zwang	gelten	–	die Geltung
anbieten	–	das Angebot			
biegen	–	der Bogen			
frieren	–	der Frost			
stoßen	–	der Stoß			

Sprichwörter

1. fällt selbst hinein
2. als die Taube auf dem Dach
3. Gold im Mund
4. fängt am Abend die Katz'
5. da fallen Späne
6. der nicht gewinnt
7. bis er bricht
8. schaut man nicht ins Maul
9. macht mich nicht heiß
10. hat auch Likör
11. ist auch kein Richter
12. das füg' auch keinem andern zu

S. 25

1. der dümmste Bauer
2. den letzten
3. Fliegen
4. Eulen
5. alte Liebe
6. Lügen
7. Wissen
8. die Katze
9. der Apfel
10. Liebe
11. mit Speck
12. Irren

S. 27

Wer war Kurt Tucholsky?
starb, kämpfte (wandte sich), gehörte (zählte), wurde

S. 28

1. der Hand 2. Fuß 3. die Hand 4. Finger 5. Hand 6. Fuß 7. Hand, Hand 8. Hände 9. Finger 10. Füße 11. Hände 12. Finger 13. Füße 14. Hand, Fuß 15. die Arme 16. Füßen 17. Fuß 18. Hand 19. der Hand 20. Hand 21. Hand 22. den Fuß 23. den Arm

S. 29/30

1b, 2f, 3m, 4i, 5d, 6a, 7h, 8r, 9q, 10n, 11j, 12u, 13o, 14v, 15l, 16t, 17g, 18p, 19k, 20s, 21c, 22e

a) Auge b) Mund c) Zähnen d) Auge e) Nase f) Mund g) Auge h) Augen i) Nase j) Ohren k) Mund l) Haar m) Ohr n) Lippe o) Augen p) Zähne q) Haare r) Mund s) Nase t) Zähne u) Haar v) Haaren

Foto: Spielen Sie den Dialog

Die Situation des Bildes ist nicht ganz eindeutig. Lassen Sie zunächst das Bild beschreiben. Etwa so:

Ein junges Paar steht vor einem Schaufenster. Es sieht so aus, als ob sich beide sehr mögen, denn der junge Mann hat den Arm um seine Freundin gelegt. Im Schaufenster sind Brautkleider ausgestellt.

Der folgende Dialog ist willkürlich. Wenn nur die eine Variante von den Teilnehmern gespielt wird, provozieren Sie die andere!

Variante 1: Der junge Mann grinst und sagt: Guck mal da, so was Blödes! Da gibt es doch tatsächlich so altmodische Typen, die in Weiß heiraten. Wo die Ehe doch in der heutigen Form längst überholt ist ... etc.

Variante 2: Der junge Mann lächelt ihr liebevoll zu und flüstert: Was meinst du, wär' das Kleid in der Mitte nicht genau das richtige für dich? Ich stell mir vor, wie du ganz in Weiß mit einem Blumenstrauß in der Kirche neben mir stehst ... etc.

S. 33

Denksportaufgabe

Es sind 7 Kinder: 4 Jungen und 3 Mädchen. Somit hat Jan ebenso viele Schwestern wie Brüder, nämlich jeweils 3. Christel hat nur 2 Schwestern und 4 Brüder, also halb so viele Schwestern wie Brüder.

Momentan ist Jan 9 Jahre und Christel 12 Jahre alt. In 6 Jahren wird Christel 18 sein, also doppelt so alt, wie Jan heute schon ist.

Am Stammtisch aufgeschnappt

Der Stammtisch ist eine typisch deutsche Institution, wo Sprüche geklopft werden und jeder seine mehr oder weniger intelligente Meinung äußern darf. Was sagen die Kursteilnehmer zu folgenden Meinungen?

1. Ich sage nur eins: Verliebe dich oft, verlobe dich selten, heirate nie! Und zieh später zu deinen Enkelkindern.
2. Heiratest du, hast du Kummer. Heiratest du nicht, hast du Sorgen. Also heiratest du.
3. Ich seh' nicht ein, warum ich als Junggeselle mehr Steuern als Verheiratete zahlen soll. Das ist ja ein unheimlicher Beschiß!
4. Die Ehe ist wie 'ne Mausefalle. Die draußen sind, wollen rein, und die drin sind, wollen raus.
5. Ich versteh' nicht, wieso die Scheidungsrichter die Kinder meistens den Frauen geben. Ist das Gleichberechtigung?

S. 34

Adam sucht Eva

die Tante, die Braut, die Gattin, die Nichte, die Oma, die Schwägerin, die Cousine (Kusine), die Schwiegertochter, die Frau Gemahlin, die Verlobte, die Witwe

Familienstand

1. uns verlobt, Verlobter
2. verwitwet, Witwe
3. Junggeselle
4. getrennt
5. haben uns scheiden

S. 35

Finden Sie ein Nomen

die Heirat, die Verlobung, die Scheidung, die Trennung

S. 38ff. Weitere Übungen

1

Guten Tag, wie ist Ihr Name? – Und woher kommen Sie? – Wie viele Sprachen spricht man denn in der Schweiz? – Und wo wohnen Sie? – Wie viele Einwohner hat Bern eigentlich? – Also ist Bern die größte Stadt der Schweiz? – Welche Sehenswürdigkeiten gibt es denn in Bern? – Und was sind Sie von Beruf? – Was studieren Sie denn? – In welchem Semester sind Sie? – Und wie alt sind Sie, wenn ich fragen darf? – Was für ein Sternzeichen sind Sie denn? – Haben Sie einen Wagen? – Rauchen Sie? – Lesen Sie gern? – Sind Sie verheiratet? – Haben Sie auch Kinder? – Ein Junge oder ein Mädchen? – Geht das schon in die Schule? – Welche Hobbys haben Sie? – Waren Sie dieses Jahr schon im Urlaub? – Nehmen Sie Ihr Kind also nicht mit? – Möchten Sie noch einmal heiraten? – Haben Sie es schon einmal mit einer Kontaktanzeige in einer Zeitung versucht? – Gehen Sie oft aus? – In Diskotheken? – Sie arbeiten sicher nebenher? – Kriegt man da auch Trinkgeld? – Warum gehen Sie denn arbeiten? – Interessieren Sie sich für Politik? – Was, glauben Sie, wird in zwanzig Jahren sein? – Vielen Dank für das Interview, Christine. Alles Gute!

3

1f, 2a, 3g, 4e, 5b, 6d, 7k, 8i, 9j, 10c, 11h

4

Für Männer werden gebraucht: „Blödmann" ... bis „alte Sau"
Für Frauen werden gebraucht: „dumme Kuh" ... bis „blöde Tussi".

5

1. Da denkt man normalerweise nicht dran. 2. Da wartet niemand drauf. 3. Da kann ich mir nichts drunter vorstellen. 4. Da kannst du nicht rausgehen. 5. Da will ich nichts von wissen. 6. Da will ich nichts mit zu tun haben. 7. Da kann er nichts für. 8. Da hat jeder Angst vor. 9. Da kann ich nicht rüberschwimmen. 10. Da darfst du nicht reingehen. 11. Da muß man erst mal draufkommen. 12. Da kann man jemand

mit ärgern. 13. Da habe ich nie dran geglaubt. 14. Da kannst du nichts mit anfangen. 15. Da kriegen mich keine zehn Pferde rauf. 16. Da kann man nichts gegen machen.

6

1. ist ja 2. wirst ja 3. sind ja 4. hast ja 5. klettert ja 6. steht ja 7. darf ja 8. Es ist ja zum Glück/Es ist zum Glück ja 9. ist ja 10. lügst ja

7

1. mir vielleicht 2. war aber/vielleicht 3. war vielleicht 4. hat aber/vielleicht 5. ist aber/vielleicht 6. sitzt aber/vielleicht 7. ist aber/vielleicht 8. ist es aber/vielleicht

8

1. du denn/heute abend denn 2. Sie denn 3. du denn 4. Sie sich denn 5. Sie ihn denn 6. Ist denn/Freund denn 7. Sie denn 8. Sie denn 9. Sie denn 10. er denn (Statt „denn" kann man auch „eigentlich" oder „etwa" einsetzen.)

11

abfahren – ankommen	belohnen – bestrafen
abkühlen – erwärmen (sich)	beruhigen – beunruhigen
ablehnen – annehmen	beweisen – widerlegen
abmelden – anmelden	bewilligen – ablehnen
abrüsten – aufrüsten	bitten – danken
achten – verachten	bringen – holen
angreifen – verteidigen	einschlafen – aufwachen
anmachen – ausmachen	einstellen – kündigen
anziehen – ausziehen	entladen – beladen
arbeiten – faulenzen	erlauben – verbieten
aufbauen – zerstören	ernten – säen
aufhören – anfangen/beginnen	finden – suchen
aufmachen – zumachen	fragen – antworten
aufsteigen – absteigen	halbieren – verdoppeln
auftauen – gefrieren	loslassen – festhalten
auspacken – einpacken	öffnen – schließen
ausschalten – einschalten	senden – empfangen
aussteigen – einsteigen	sparen – ausgeben
beenden – beginnen/anfangen	verneinen – bejahen
befehlen – gehorchen	zunehmen – abnehmen

12

die Badewanne, das Waschbecken, der Spiegelschrank, der Schwamm
der Oberschenkel, das Knie, das Schienbein, die Wade
Afrika, Asien, Europa, Australien
das Segelboot, das Ruderboot, das Schlauchboot, das Kanu
der Fernseher, das Radio, die Spülmaschine, der Staubsauger
Weihnachten, Ostern, Pfingsten, Neujahr
die Klingel, der Lenker, der Rücktritt, der Schlauch
der Vorhang, die Leinwand, das Plakat, der Klappsessel

das Blitzlicht, das Stativ, das Objektiv, der Film
die Fensterscheibe, das Weinglas, der Spiegel, die Brille
der Daumen, der Zeigefinger, der Mittelfinger, der Ringfinger
der König, die Dame, der Bauer, der Läufer
der Kamm, das Shampoo, das Rasiermesser, der Fön
die Ratte, das Kaninchen, der Hamster, das Eichhörnchen
der Drachen, das Flugzeug, der Ballon, der Hubschrauber
die Lippe, der Zahn, die Zunge, der Gaumen
die Pistole, das Gewehr, die Kanone, die Atombombe
das Feuerzeug, die Pfeife, der Tabak, die Zigarre
der Pantoffel, der Stiefel, die Sandale, der Stöckelschuh
der Besen, die Kehrschaufel, der Schrubber, der Eimer
Halma, Dame, Mühle, Schach
Anglistik, Romanistik, Slavistik, Germanistik
der Kreis, das Quadrat, das Dreieck, das Parallelogramm

13

1. Wenn mir der Kopf schmerzt/Wenn ich Kopfschmerzen habe, nehme ich einfach eine Aspirintablette. 2. Wenn es gewittert, lege ich mich einfach ins Bett. 3. Wenn ich frühzeitig pensioniert werde, gehe ich einfach auf Weltreise. 4. Wenn ich mich von meinem Partner trenne, suche ich mir einfach einen neuen. 5. Wenn die Miete erhöht wird, ziehe ich einfach aus. 6. Wenn ich im Lotto gewinne, kaufe ich mir ein Haus mit einem Swimmingpool. 7. Wenn mich ein Vertreter anruft, sage ich einfach, daß ich nichts kaufen will. 8. Wenn mich ein Tiger angreift, klettere ich einfach auf einen Baum. 9. Wenn der Strom ausfällt, zünde ich einfach eine Kerze an. 10. Wenn ich in die Oper eingeladen werde, kann ich einfach nicht nein sagen. 11. Wenn sich der Verkehr staut/Wenn es einen Verkehrsstau gibt, schalte ich einfach den Verkehrsfunk ein. 12. Wenn mich eine Wespe sticht, sauge ich einfach das Gift aus. 13. Wenn mich meine Firma entläßt, suche ich mir einfach einen neuen Job.

14

1. entsalzen 2. entwaffnet 3. entflohen 4. entfaltet 5. entflammt 6. entwurzelt 7. entspannen 8. entladen 9. enteignet 10. entwässert 11. entschärft 12. enthüllt

16

1. Früher stand hier ein Bauernhof. 2. Früher mußte man eine Tagesreise bis in die Stadt machen. 3. Früher schlugen viele Lehrer ihre Schüler 4. Früher blieben die Alten im Kreis ihrer Familie. 5. Früher erzählte man sich Geschichten und Märchen. 6. Früher erfuhr man Neuigkeiten durch Reisende und Boten. 7. Früher gab es eine strenge Kleiderordnung.

17

1. dachte 2. brachte 3. kannte 4. wandte 5. nannte 6. rannte 7. sandten 8. brannten

18

1g, 2b, 3d, 4a, 5i, 6e, 7j, 8f, 9h, 10c

19

1. schuf 2. sendeten 3. wog 4. wiegte 5. schaffte 6. schleifte 7. wendete
8. wandten 9. sandte 10. schliff

20

814 starb Karl der Große. – 1517 trat Martin Luther auf, und die Reformation breitete sich aus. – 1648 endete der Dreißigjährige Krieg. – 1789 begann die Französische Revolution. – 1914 brach der Erste Weltkrieg aus. – 1933 ergriff Hitler die Macht. – 1939 überfielen deutsche Truppen Polen. – 1944 scheiterte ein Bombenattentat auf Hitler. – 1945 kapitulierte das Dritte Reich bedingungslos. – 1948 wurde die Bundesrepublik Deutschland gegründet. – 1953 wurde ein Aufstand in der DDR durch sowjetische Truppen niedergeschlagen. – 1957 entstand die Europäische Gemeinschaft. – 1961 wurde die Berliner Mauer errichtet. – 1963 wurde der Freundschaftsvertrag zwischen Frankreich und der Bundesrepublik durch de Gaulle und Adenauer unterzeichnet. – 1989 fiel die Berliner Mauer. – 1990 trat die DDR der Bundesrepublik bei.

21

1. vertrieb – Vertrieb 2. ritten aus – Ausritt 3. riß – Riß 4. biß – Biß 5. strichen an – Anstrich 6. schliff – Schliff 7. griffen an – Angriff 8. stieg ein – Einstieg 9. stieg ab – Abstieg 10. stiegen auf – Aufstieg

22

1. wurde, wog, dauerte 2. mußte, fand, führte, fiel 3. hießen, lauteten, war 4. brachte, betrug 5. konnte

23

1. lebte, studierte, verliebte sich, berief, unternahm, verband, benannte 2. wurde, starb, erwarb, komponierte, vertonte 3. erhielt, schuf, wirkte, verfaßte, unterstrich, rief ... auf, (erfunden hatte = Plusquamperfekt)

25

er backt/bäckt, ihr backt
er befiehlt, ihr befehlt
er bläst, ihr blast
er brät, ihr bratet
er empfiehlt, ihr empfehlt
er erschrickt, ihr erschreckt
er ißt, ihr eßt
er fährt, ihr fahrt
er fällt, ihr fallt
er fängt, ihr fangt
er frißt, ihr freßt
er gibt, ihr gebt
er gilt, ihr geltet
er gräbt, ihr grabt
er hält, ihr haltet
er hilft, ihr helft

er lädt, ihr ladet
er läßt, ihr laßt
er liest, ihr lest
er mißt, ihr meßt
er mag, ihr mögt
er nimmt, ihr nehmt
er rät, ihr ratet
er schläft, ihr schlaft
er schlägt, ihr schlagt
er sieht, ihr seht
er spricht, ihr sprecht
er sticht, ihr stecht
er stiehlt, ihr stehlt
er stirbt, ihr sterbt
er stößt, ihr stoßt
er trägt, ihr tragt

er trifft, ihr trefft
er tritt, ihr tretet
er verdirbt, ihr verderbt
er vergißt, ihr vergeßt
er wächst, ihr wachst

er wäscht, ihr wascht
er wirbt, ihr werbt
er wirft, ihr werft
er weiß, ihr wißt

26
1. nach 2. bis auf 3. Unter, von 4. auf 5. auf 6. ohne 7. in 8. an, auf, vor, über, außer 9. Bei 10. über/lang 11. Am 12. bis 13. Von, zu 14. Zu 15. aus, auf

27
1. Aufgrund 2. anläßlich 3. Trotz 4. zugunsten 5. Ungeachtet 6. innerhalb 7. mangels 8. kraft 9. Jenseits 10. mittels 11. samt 12. abseits 13. um ... willen 14. Angesichts 15. anstelle 16. infolge 17. Oberhalb 18. hinsichtlich

28
1. Zu/–/An/Über 2. Im 3. Zu/Mit 4. An/Zu 5. In, vor 6. Am, im 7. Vor/Bei 8. Im 9. Um 10. In

29
zu Pfingsten, in der Nacht, zu Beginn des Jahres 1993, bei Tagesanbruch, im 19. Jahrhundert, am Nachmittag, am 24. Dezember, in der Mitte des Monats, am Wochenende, in diesem Jahr, zu Silvester, am Montag, in der übernächsten Woche, im Spätherbst, am Todestag des Dichters, um 12.30 Uhr, um Mitternacht, in jüngster Zeit, alles zu seiner Zeit, in der Zwischenzeit, zu meiner Zeit, in letzter Zeit

Reihe II: Medien: Buch, Presse, Rundfunk und Fernsehen

Auf Cassette wurden folgende Texte und Übungen aufgenommen:

Lückentest (S. 51)
Übung: Vokabeltraining (S. 53)
Bertolt Brecht: *Die Bücherverbrennung* (S. 54)
Bertolt Brecht: *Die Lösung* (S. 61)
Übung: Wörter mit schwieriger Aussprache (S. 66)
Tagesschau. Eine ausgewogene Berichterstattung (S. 70)
Hören und verstehen: *Telefonansagen* (S. 72)
Diktat: *Die deutsche Welle* (S. 73)
Hören und verstehen: *Medien* (S. 74)

S. 51/52

Bilderfolge
Diskutieren Sie, warum die Medien ein negatives Weltbild vermitteln und warum es mehr schlechte als gute Nachrichten gibt. Kann man in unserer Zeit auch ohne Massenmedien und vielleicht dabei unbeschwert und zufrieden leben? Bekommen wir zuviel statt zuwenig Informationen?

Lückentest

existieren (gibt es), veröffentlicht (publiziert, verlegt, herausgegeben), liegt, erscheint, verliehen, geleistet, sammelt (findet)

S. 52

Piktogramme (von links nach rechts)
Notruftelefon; Erste Hilfe; Baden ist hier lebensgefährlich; Rutschgefahr; öffentliche Toilette; Restaurant bzw. Imbiß; Fotografieren erlaubt oder z. B. Verkauf von Fotomaterial; Bahnübergang oder Bahnhof; Parkplatz, um Hunde auszuführen; Abfallbehälter, Mülltonne; Achtung! Vorsicht! Gefahr!; Platz zum Ballspielen; Reparaturwerkstatt; für Behinderte geeignet; elektrischer Anschluß, z. B. für Rasierapparat

Synonyme
2. die Illustrierte — die Zeitschrift
3. der Autor — der Verfasser
4. der Verleger — der Verlagsleiter
5. der Buchladen — die Buchhandlung
6. der Poet — der Dichter
7. die Überschrift — der Titel
8. die Einleitung — die Einführung
9. der Abschnitt — das Kapitel

S. 53

Denksportaufgaben

1. Die Lösung ist: *-buch*
   Die Bedeutungen einiger dieser Wörter:
   Fahrtenbuch: Ein Heft, in das alle Autofahrten mit der Entfernung und der Uhrzeit eingetragen werden. Kann für das Finanzamt wichtig sein.
   Taschenbuch: Eine billige Ausgabe eines Buches im Taschenformat.
   Handbuch: Ein Nachschlagewerk, in dem man Fakten über ein bestimmtes Wissensgebiet nachlesen kann.
   Drehbuch: Der detaillierte Plan für die Produktion eines Filmes.
   Gästebuch: Ein Buch, in das sich die Gäste eintragen können. Gästebücher findet man z. B. in Hotels.

2. Nachdem der Buchhändler eine halbe Stunde geredet hat, wird die Redezeit für die beiden anderen immer kürzer: eine Viertelstunde, siebenundeinhalb Minuten, usw. Auf diese Weise beträgt die gesamte Redezeit aller weniger als eine Stunde. Der Verleger und der Bibliothekar haben eine wesentlich kürzere Redezeit gehabt und sind deshalb verärgert.

Vokabeltraining (schriftlich und/oder mündlich)
Hören Sie die Nomen von der Cassette, ergänzen Sie den Artikel und sagen Sie ein zum Nomen passendes Verb:

Beispiel:

Autor	*der Autor*	*schreiben*
Lektüre	die –	lesen
Verlag	der –	verlegen
Übersetzung	die –	übersetzen
Kritik	die –	kritisieren
Bestellung	die –	bestellen
Abonnement	das –	abonnieren
Buchdruck	der –	drucken
Dichtung	die –	dichten
Erzählung	die –	erzählen
Beschreibung	die –	beschreiben
Darstellung	die –	darstellen
Schilderung	die –	schildern
Zitat	das –	zitieren
Inserat	das –	inserieren
Annonce	die –	annoncieren
Werbung	die –	werben

Zusatzübung: *Pro und Contra*
Es gibt Menschen, die sehen den Käse, und andere, die sehen nur die Löcher darin. Manche sagen, ein Glas sei halb voll, während andere behaupten, das Glas sei halb leer. So kann man viele Dinge von zwei Seiten betrachten.
Auch bei der Diskussion der folgenden Themen kann man verschiedener Meinung sein – man kann „pro" oder „contra" argumentieren. Lassen Sie die Schüler einige Notizen machen – „dafür" oder „dagegen" –, bevor Sie miteinander diskutieren.

1. Soll man eine Annonce in der Zeitung aufgeben, wenn man alleinstehend ist und wenig Gelegenheit hat, einen passenden Partner kennenzulernen?
2. In der Bundesrepublik muß man eine monatliche Gebühr für jeden Fernseher bezahlen. Zu bestimmten Zeiten aber bekommt man dafür nur Werbung im Fernsehen zu sehen. Ist das Information oder Belästigung?
3. Berühmte Leute – Filmstars oder Politiker – müssen damit rechnen, daß Einzelheiten aus ihrem Privatleben in Illustrierten stehen. Würde Sie das stören? Würden Sie solche Berichte verbieten lassen?
4. In zwei von drei deutschen Haushalten gibt es bereits ein Telefon. Welche Vor- und Nachteile hat diese Entwicklung? Brauchen Sie selbst ein Telefon?

S. 55

Gedicht
behalten: 1. bei sich aufbewahren, in seinem Besitz lassen
2. sich an etwas erinnern, sich etwas merken

Stammtisch: *Hören, verstehen, argumentieren*
1. Meine Bücher verleihe ich prinzipiell nie, die kriege ich doch nie wieder.
2. Wir haben uns jetzt was Repräsentatives gekauft. Den ganzen Goethe. Und meine Jutta ist ordentlich. Alle unsere Bücher stehen nach der Größe geordnet im Wohnzimmerregal. Und wenn Besuch kommt, sehen die gleich: Wir verstehen was von Kultur!
3. Oma sagt, wir sollten dem Opa ein Buch zu Weihnachten schenken. So ein Blödsinn, wo er doch schon eins hat!
4. Wir kaufen bloß Bestseller. Das sind garantiert die besten Bücher!
5. Bibliotheken? Von unseren Steuern? Wozu denn das? Diese Studenten sollen sich mal selber Bücher kaufen. Mir wird auch nichts geschenkt!

Im folgenden Teil wird der **Konjunktiv I** wiederholt. Hierzu empfiehlt sich die Lektüre von· Schulz/Griesbach, S. 51; Helbig/Buscha, S. 194.; Duden, S. 98; Erben, S. 101; Dreyer/Schmitt, S. 239ff. (Neubearbeitung S. 254ff.)

S. 56

Aufgaben
er möge (K), er spiele (K), sie dürfe (K), du willst (I), es bleibe (K), ihr seiet (K), du könntest (K), es soll (I), er kenne (K), er könne (K), er wisse (K), er mag (I), Sie seien (K), er esse (K), du nimmst (I), er solle (K), es regne (K)

2. Beispiel: können
ich könne, du könnest, er könne, wir können, ihr könnet, sie können

S. 57

Zeitungsumfrage
sei, sei

Wahrheit
wolle, müsse, sei, sei, könne, bestehe, sei, stehe, habe, wisse, lese

S. 58

1. Kennen Sie die Namen dieser Tageszeitungen?
   Es handelt sich um die wichtigsten bundesdeutschen überregionalen Tageszeitungen:
   Stuttgarter Zeitung, Die Welt, Frankfurter Allgemeine, Frankfurter Rundschau, Süddeutsche Zeitung, Westdeutsche Allgemeine, Bild-Zeitung
2. Falls die „wahre" Geschichte die Schüler interessiert, können Sie den Bild-Text vorlesen oder diktieren:
   So schmerzhaft kann Liebe sein – jetzt liegt der große blonde Steuergehilfe Oliver H. (19) in der Klinik auf der Intensivstation. Mit schwerer Gehirnerschütterung, Prellungen, Schürfwunden.
   Das Pech beim Kuß kam so:
   Abends ging Oliver mit seiner hübschen Freundin Helga (20) vom Weißbierkeller zum S-Bahnhof am Marienplatz. Auf der obersten Stufe der acht Meter langen Steintreppe fiel sich das Pärchen in die Arme, küßte sich. Aber Oliver rutschte ab, verlor das Gleichgewicht und fiel die Steinstufen rückwärts hinunter.
   Oliver H.: „Mir wurde schwarz vor Augen. Als ich wieder zu mir kam, lag ich auf der Intensivstation." Es geht ihm schon wieder besser. Oliver: „Und morgen besucht mich meine Freundin – Mann, freu' ich mich auf einen Kuß!"

Widerruf
seien, solle (müsse), tue, seien

Ein altes, bekanntes Lügenparadoxon ist aus der Antike überliefert: Epimenides stellte die Behauptung auf, alle Kreter seien Lügner. Epimenides stammte selbst aus Kreta. Die Aussage kann deshalb weder wahr noch falsch sein.
Andere paradoxe Aufforderungen:
Ein Hinweisschild mit der Aufforderung: Bitte dieses Schild nicht beachten!
Eine Mutter, die ihr Kind immer wieder ermahnt, es solle endlich schlafen.
Vielleicht sind den Kursteilnehmern ähnliche paradoxe Situationen bekannt.

S. 59

Erklären Sie *Was liest man in diesen Zeitungsrubriken?*
Verteilen Sie nach Möglichkeit einige deutsche Tageszeitungen an die Kursteilnehmer. Lassen Sie die Themen Außenpolitik, Wirtschaft, Feuilleton, Kleinanzeigen, Lokales und Sport von verschiedenen Kleingruppen bearbeiten.
Zusatzaufgabe: Jede Gruppe sollte den interessantesten Artikel vorlesen und begründen, warum er interessant erscheint.

S. 60

Begriffe erraten

1. Flugblatt	5. Zeitungsbote	9. Schlagzeile	13. Interview
2. Abendzeitung	6. Extrablatt	10. Computer	14. Fernseher
3. Comic-Heft	7. Illustrierte	11. Hörfunk	15. Tonband
4. Händler	8. Tagesschau	12. Redakteur	

Der gesuchte Begriff heißt FACHZEITSCHRIFT.

S. 62

Meinungsfreiheit – Was ist das Grundgesetz?
Hierzu ein Lückentest:
1. Die Verfassung der Bundesrepublik *nennt* man Grundgesetz.
2. Dieses Grundgesetz verliert seine *Gültigkeit* an dem Tage, an dem eine Verfassung in Kraft *tritt*, die von dem deutschen Volke in freier Entscheidung beschlossen *worden* ist. (Art. 146 GG)
3. Im Grundgesetz *findet* man z. B. die Grundrechte, Regelungen über das *Verhältnis* von Bund und Ländern, über den Bundestag, den Bundesrat, usw.
4. Über Verfassungsstreitigkeiten entscheidet das Bundesverfassungs*gericht* in Karlsruhe.
5. Mit dem Grundgesetz von 1949 hat sich die Bundesrepublik nach der nationalsozialistischen Diktatur *für* einen demokratischen Weg entschieden.

Stammtisch! *Hören, verstehen, argumentieren*
1. Nee, Zeitungen lese ich nicht! Die lügen doch alle wie gedruckt! Außerdem werden die immer teurer.
2. Ich guck' mir nur die Nachrichten im Fernsehen an. Da seh' ich doch alles viel genauer. Wozu noch Zeitung lesen?
3. Aber ich will meine Zeitung immer am Frühstückstisch haben. Dann hab' ich meine Ruhe. Waldi holt sie mir vom Kiosk, und meine Emma legt sie mir neben die Kaffeetasse.
4. Oma liest doch bloß die Todesanzeigen, Mutter das Horoskop, meine Schwester den Fortsetzungsroman, und meine Tante macht nur die Kreuzworträtsel. Richtig Zeitunglesen ist nur was für Männer!

Aufgaben
I.
schwarz: konservativ, klerikal (CDU/CSU)
(auch: schwarzfahren: ohne Fahrschein fahren; schwarzsehen: pessimistisch sein; fernsehen, ohne Gebühr zu zahlen; schwarzarbeiten: ohne Arbeitserlaubnis/ohne Steuern und Abgaben zu entrichten arbeiten; sich schwarzärgern: sich andauernd heftig ärgern; Schwarzsender: Sender ohne Lizenz; Schwarzmarkt: nichtoffizieller Markt)
rot: kommunistisch, sozialistisch, sozialdemokratisch
(auch: rotsehen: sehr wütend werden; im Gesicht aus Scham/Ärger rot werden; die Rothaut: der Indianer)
gold: wundervoll, herrlich, glorreich (auch: die goldene Mitte: das richtige Maß)

grün: für Umweltschutz und Abrüstung (die Grünen)
(auch: Farbe der Jägerei und Natur; Grünschnabel: unreifer junger Mensch; Grün-
zeug, Grünfutter: Pflanzen)
braun: (neo)nationalsozialistisch
(auch: braun werden: sich in der Sonne bräunen)
blau: betrunken, angetrunken, besoffen
(auch: blaumachen: nicht arbeiten; Blau-Weiß: bayerische Landesfarben; der blaue
Montag: verlängerter Sonntag; sein blaues Wunder erleben: sehr staunen; mit
einem blauen Auge davonkommen: etwas ohne großen Schaden überstehen;
blaues Blut in den Adern haben: adlig sein; die blaue Bohne: die Gewehrkugel; der
blaue Brief: Schreiben der Schule an die Eltern wegen schlechter Leistungen des
Schülers)

II.
1. betrunken
2. unerfahren
3. Koalition aus Sozialdemokraten und Grünen
4. konservative
5. habe keine Hoffnung, bin skeptisch/pessimistisch
6. sehr gut
7. süß, putzig, hübsch
8. nationalsozialistische
9. haben wir keine Lust zum Arbeiten; lassen wir die Arbeit liegen
10. sehr schlimm geschlagen
11. sich sehr geärgert
12. illegal arbeitet, ohne Versicherung und Steuern zu zahlen
13. Leute, die ohne gültigen Fahrausweis öffentliche Verkehrsmittel benutzen

S. 63

Setzen Sie den Konjunktiv I ein
töte, sei, wisse, dürfe, einschlage, sei

Denksportaufgabe
habe, sei, habe, solle, habe, sei, habe, sei, habe, solle, stehe, solle

Lösung: Wenn Herr A. sofort nach dem Aufwachen einen Herzschlag bekommen
hat, dann war er auch nicht in der Lage, seinen Traum zu erzählen.

S. 64

Vokabeltraining
aufwachen: Ich wache nachts plötzlich auf.
aufwecken: Ein Geräusch hat mich aufgeweckt.
bewachen: Der Hund bewacht das Haus.
wach werden: Ich bin von einem bösen Traum wach geworden.
die Wache: Vor der Kaserne steht die Wache.
der Wecker: Ich verschlafe, wenn der Wecker nicht klingelt.

S. 65

Zum **Genus** vergleichen Sie bitte: Duden, S. 156ff.; Helbig/Buscha, S. 269ff.; Schulz/Griesbach, S. 92ff.

Vorbereitung auf das Spiel: Zusatzübungen

1. Diktieren Sie die folgenden Adjektive, und lassen Sie Nomen finden, die auf -heit oder -keit enden.

ewig, genau, bescheiden, müde, hell, dunkel, sicher, heiter, herrlich, persönlich, schwierig, schnell, feucht, abwesend, vergangen, vertraulich, neu, eitel, einig, einsam, verlegen, unendlich

Lösungen:
Ewigkeit, Genauigkeit, Bescheidenheit, Müdigkeit, Helligkeit, Dunkelheit, Sicherheit, Heiterkeit, Herrlichkeit, Persönlichkeit, Schwierigkeit, Schnelligkeit, Feuchtigkeit, Abwesenheit, Vergangenheit, Vertraulichkeit, Neuigkeit, Eitelkeit, Einigkeit, Einsamkeit, Verlegenheit, Unendlichkeit

2. Wie schreibt man die Endung: -ig, -ich, -ick oder -ik? Diktieren Sie folgende Wörter:

König, Kosmetik, Strick, Klinik, Technik, Honig, Essig, Käfig, Pfennig, Strich, Physik, Blick, Klassik, Kranich, Stich, Teppich, Optik, Kritik, Politik, Gymnastik, Musik, Trick, Fabrik, Mathematik, Statistik, Taktik, Plastik

3. Lassen Sie Wörter auf -el (mask.) erraten.

Ein Stück Papier ist ein ... (Zettel).
Zum Reiten legt man auf das Pferd einen ... (Sattel).
Wenn es kalt ist, trägt man einen ... (Mantel).
Zum Aufschließen braucht man einen ... (Schlüssel).
Ganz bequem sitzt man im ... (Sessel).
Zum Malen braucht man einen ... (Pinsel).
Auf jeden Topf paßt ein ... (Deckel).
Die Wolken stehen am ... (Himmel).
Einen Kreis zeichnet man mit einem ... (Zirkel).
Zum Fliegen braucht man ... (Flügel).
Ein kleiner Berg ist ein ... (Hügel).
Ich sehe mich im ... (Spiegel).
Man sieht kaum etwas im ... (Nebel).
Ein wasserdichter hoher Schuh ist ein ... (Stiefel).

4. Wie lautet das Nomen mit der Endung -ung?

dämmern, behindern, liefern, reinigen, füttern, beleidigen, begeistern, bewässern, berechtigen, fördern, genehmigen, beschädigen, ändern, beerdigen, beruhigen, beschäftigen, bestätigen

Lösungen:
Dämmerung, Behinderung, Lieferung, Reinigung, Fütterung, Beleidigung, Begeisterung, Bewässerung, Berechtigung, Förderung, Genehmigung, Beschädigung, Änderung, Beerdigung, Beruhigung, Beschäftigung, Bestätigung

5. Wie heißt das Adjektiv?

Legalität, Brutalität, Stabilität, Nervosität, Passivität, Aktivität, Elektrizität, Objektivi-

tät, Solidarität, Aggressivität, Realität, Originalität, Kriminalität, Sexualität, Speziali-
tät, Aktualität

Lösungen:
legal, brutal, stabil, nervös, passiv, aktiv, elektrisch, objektiv, solidarisch, aggressiv,
real, originell, kriminell, sexuell, speziell, aktuell

6. Wie heißt das Nomen mit der Endung -ion?
produzieren, kalkulieren, addieren, subtrahieren, multiplizieren, dividieren, diskutieren, missionieren, reagieren, fabrizieren, operieren, emanzipieren, organisieren, demonstrieren, funktionieren, konstruieren, adoptieren

Lösungen:
Produktion, Kalkulation, Addition, Subtraktion, Multiplikation, Division, Diskussion,
Mission, Reaktion, Fabrikation, Operation, Emanzipation, Organisation, Demon-
stration, Funktion, Konstruktion, Adoption

S. 66

Einige Ausnahmen
der Käse, das Ende, der Funke(n), der Gedanke, das Gebirge, der Reichtum, der
Name, der Friede(n), der Irrtum
Andere Ausnahmen: der Bulle, der Löwe, der Hirte, der Bote, das Erbe, der Erbe,
das Auge

Nomen mit verschiedenem Genus

der/das Eidotter	der/das Liter
der/das Filter	der/das Meter
der/das Gulasch	der/das Radar
der/das Gummi	der/das Sakko
der/das Joghurt	der/das Teil
der/das Lasso	der/das Virus

S. 67

Finden Sie das passende Nomen

2. Bund	7. Steuer	12. Bauer
3. Erbe	8. Stift	13. Weise
4. Paternoster	9. Verdienst	14. Heide
5. Ekel	10. Gehalt	
6. See	11. Junge	

S. 68

Vokabeltraining
1. der Harz: Gebirge bei Hannover
   das Harz: klebrige Flüssigkeit in Nadelbäumen
2. der Kiefer: Teil des Gebisses
   die Kiefer: Nadelbaum

3. der Laster: der Lastwagen
   das Laster: die Untugend
4. der Leiter: der Chef
   die Leiter: Hilfsmittel zum Klettern
5. der Mangel: die Not, die Entbehrung, die Knappheit
   die Mangel: Gerät zum Bügeln
6. die Mark: Geldstück
   das Mark: das Innere eines Knochens (Knochenmark)
7. der Mast: die Stange zum Befestigen des Segels
   die Mast: die Zucht, die Fütterung, z. B. die Schweinemast
8. der Tau: kleine Wassertropfen in der Natur, die man
      morgens an den Blättern findet
   das Tau: ein dickes Seil, z. B. für Schiffe
9. die Taube: ein Vogel
   der Taube: jemand, der nicht hören kann (taub ist)
10. der Tor: der Narr, der Idiot, der Dummkopf
   das Tor: eine große Tür, auch z. B. das Fußballtor

Ähnliche Wörter
2. die Röhre, das Rohr 3. die Socke, der Socken 4. die Ecke, das Eck 5. die Karre, der Karren 6. der Spalt, die Spalte 7. der Typ, die Type 8. der Zeh, die Zehe

S. 71

Vokabeltraining
1. a, e, f   2. a, c, f

S. 72

Finden Sie Synonyme
1. der Fernseher, der Fernsehapparat, das Fernsehen, die Glotze (ugs.), die Kiste (ugs.), der Kasten (ugs.)
2. ausschalten, ausmachen, ausstellen, abstellen
3. einschalten, anmachen, anstellen, anschalten

Hören und verstehen
Klassenlotterien
Bei der Staatlichen Nordwestdeutschen Klassenlotterie wurden am 9. August 5 Gewinne von je 100 000 DM auf die folgenden Losnummern gezogen: 048 379; 075 752; 148 998; 155 492; 175 054.
Ende der Durchsage. Für die Richtigkeit der Angaben wird keine Gewähr übernommen. Auf Wiederhören!

Küchenrezepte
Guten Tag, meine Damen und Herren! Unser Kochstudio stellt Ihnen eine kleine Zwischenmahlzeit vor: Toast mit Spiegelei.
Sie brauchen 40 g Butter, 4 Scheiben gekochten Schinken, 4 Scheiben Toastbrot, 4 Eier, Salz, Paprika und Petersilie. 20 g Butter in der Pfanne erhitzen und die Schin-

kenscheiben darin knusprig braten. Gleichzeitig das Brot rösten. Restliche Butter in der Pfanne erhitzen. Eier 2 Minuten in der offenen und 2 Minuten in der geschlossenen Pfanne braten. Getoastetes Brot mit den Schinkenscheiben und den Spiegeleiern belegen. Das Eiweiß salzen, das Eigelb mit Paprika bestreuen. Mit gewaschener und getrockneter Petersilie garnieren. Guten Appetit.

Pferdetoto
In einem abwechslungsreichen Samstagsprogramm steht im Pferderennen der mit 40 000 DM dotierte Preis im Mittelpunkt. 10 Pferde gehen in diesem Rennen auf die Jagd nach der Siegprämie, wobei sich 2 Pferde beste Chancen auf den Sieg ausrechnen können: Baby und Weißer Blitz. Baby konnte nach seinem hervorragenden Platz im großen Preis von München trotz eines zwischenzeitlichen Tiefs wieder seine Bestform zeigen. Weißer Blitz korrigierte seine letzte Niederlage und hat nunmehr gute Aussichten auf den Titelgewinn. Eintrittskarten zu dem Rennen sind noch an den bekannten Vorverkaufsstellen erhältlich.

Reisevorschläge
Sie hören die von der Postreklame zusammengestellten Reisevorschläge: 200 Hotels in 24 der schönsten Städte Europas bietet der Städtekatalog an, den das Amtliche Bayerische Reisebüro vorlegt. In allen denkbaren Preisklassen stehen beispielsweise Hotels in Amsterdam, London, Rom und Florenz zur Auswahl. Neu im Angebot ist Luxemburg. Die Reisen können an jedem beliebigen Tag angetreten werden. Kombinationen verschiedener Städte sind selbstverständlich möglich. Sie können auch an Gruppenreisen in diese Städte teilnehmen. Auskunft und Prospekte erhalten Sie im Amtlichen Bayerischen Reisebüro am Hauptbahnhof oder am Flughafen.
Für schöne Tage empfiehlt die Deutsche Bundesbahn Tagesfahrten und Kurzreisen, z. B. mit dem bekannten und beliebten Gläsernen Zug am Donnerstag von Rosenheim nach Nürnberg. Zustiegsmöglichkeit in München, Fahrpreis 80 DM. Oder Sonntag von München aus ins Berchtesgadener Land, von dort weiter mit dem Bus in die nähere Umgebung und eine anschließende Schiffahrt auf dem Königssee. Preis 70 DM.

Stellenangebote
Sie hören unsere aktuellen Stellenangebote:
Eine Spedition sucht einen Speditionskaufmann oder eine -kauffrau für die Bereiche Import und Export. Der Führerschein Klasse III und Erfahrungen auf dem Sektor sind erforderlich. Tel. 51 54 25 3.
Eine Baufirma sucht eine Buchhalterin für die Lohn- und Gehaltsbuchhaltung. Schreibmaschinen- und EDV-Kenntnisse werden vorausgesetzt. Tel. 76 35 42 2.
Ein Kaufhaus in der Stadtmitte sucht eine Verkaufshilfe bis 40 Jahre für den Verkauf von Lederwaren, Koffern und Taschen. Es handelt sich um eine Stelle in Teilzeitbeschäftigung. Berufserfahrung wird verlangt. Tel. 51 45 40 1.
Eine Werbeagentur sucht ein männliches Fotomodell für die Herstellung eines Sportkatalogs. Neben sportlicher Figur wird ein sympathisches Äußeres verlangt. Tel. 77 82 31 6.
Übrigens: Alle Arbeitsamtdienststellen haben jeden Dienstag bis 18 Uhr Sprechstunde. Auf Wiederhören.

Straßenzustandsbericht
Hier der Straßenzustandsbericht für das Wochenende:
Die Autourlauber aus Dänemark, Rheinland-Pfalz und dem Saarland kehren wieder aus dem Süden nach Hause zurück, weil die Schulferien bald zu Ende gehen. Wie der ADAC mitteilt, werden diese Autokolonnen auf den verschiedenen Autobahnen in Richtung Norden am Wochenende mehrere Staus und zähflüssigen Verkehr verursachen.
Österreich: Nach wie vor sind nach der Hochwasserkatastrophe noch mehrere Brücken und Straßen gesperrt. Die Brennerautobahn ist in beiden Richtungen nur einspurig befahrbar.
Über die Verkehrslage im einzelnen informieren Sie die lokalen Verkehrsfunksender. Auf Wiederhören.

Theater- und Konzertveranstaltungen
Wegen der Theaterferien bis einschließlich 16. September entfällt die Theatervorschau. Diese Durchsage ist gebührenfrei.

Wohin heute?
Die von Ihnen gewählte Rufnummer wurde geändert. Wählen Sie bitte statt 115 die 116 und daran anschließend die letzten zwei Ziffern der bisherigen Rufnummer. Im Zweifelsfall rufen Sie bitte die zuständige Auskunft an. Diese Ansage ist gebührenfrei.

S. 73

Vokabeltraining
Briefmarke, telefonisch, Telefonzelle, gelbe Seiten, frankieren, kostenlos

S. 74

Hören und verstehen
Medien (Benutzen Sie den Text evtl. als Diktat.)
Zu den wichtigsten Massenmedien gehören das Buch, die Zeitung, das Radio und das Fernsehen. Zur Literatur zählen wir die verschiedensten Textsorten. Bei einem Buch kann es sich beispielsweise um einen Roman, einen Krimi oder auch um eine Sammlung von Kurzgeschichten handeln.
Die Person, die ein Buch verfaßt, nennen wir Autor oder Verfasser. Zeitungen werden von Journalisten geschrieben. Wer eine Zeitung aufschlägt und liest, findet darin die verschiedensten Anzeigen, Kommentare und Berichte. Die regelmäßige Lektüre eines Buches oder einer Zeitung ist besonders nützlich, wenn man als Ausländer eine Fremdsprache lernen will.
Wer wenig Geld hat, kann sich Bücher in den Bibliotheken ausleihen. Sucht man aber ein ganz aktuelles Buch, muß man es meist in einer Buchhandlung kaufen. Wer die Lektüre einer Tageszeitung vorzieht, besorgt sie sich am Kiosk. Natürlich kann man sich eine Zeitung auch vom Zeitungsboten ins Haus bringen lassen, wenn man sie abonniert hat.
Die Leihgebühr der Bibliotheken ist sehr gering, wenn man daran denkt, die Bücher innerhalb einer bestimmten Frist zurückzubringen. Auch der Preis für ein Abonne-

ment einer Tageszeitung ist nicht sehr hoch, wenn man z. B. noch studiert oder eine Schule besucht.

Spannende Bücher werden von den Lesern verschlungen – manche lesen ein dickes Buch an einem Tag durch. Zeitungen werden in der Regel weggeworfen. Das Schicksal von Büchern ist weniger hart: Auch wenn ein Buch einmal langweilig ist, wird es nur weggelegt und nicht – wie eine Tageszeitung – weggeworfen.

Vielen Menschen ist das Lesen zu anstrengend. Sie ziehen es vor, das Radio oder den Fernseher einzuschalten. Radio zu hören oder fernzusehen paßt wohl mehr zu unserem hektischen Leben, als in Ruhe ein Buch zu lesen. Manche schalten schon morgens ein Gerät ein und hören dann viele Stunden täglich Radiosendungen oder sehen schon am frühen Morgen fern. Nach der Einführung des Kabelfernsehens in der Bundesrepublik kann man noch mehr Sender als bisher empfangen.

Für Radio und Fernsehen muß man eine monatliche Rundfunkgebühr bezahlen. Manche ziehen es deshalb vor, schwarzzusehen oder -zuhören. Zu den öffentlichen, nichtkommerziellen Rundfunkanstalten gehören die ARD (das 1. Programm), das ZDF (2. Programm) und die Regionalprogramme (3. Programm). Durch die Videotechnik und die Privatsender wird der Einfluß des Fernsehens immer größer. Inzwischen gibt es auch immer mehr Piratensender, die ein alternatives Programm anbieten.

Immer mehr Sender leben von Werbung, Propaganda und Berieselung. Diskussionssendungen, Nachrichten oder Schulsendungen gehen mehr zurück, weil sie weniger Geld einbringen. Das Wort „Unterhaltung" bekommt eine neue Bedeutung: Der Mensch wird unten gehalten; die Informationsfreiheit wird zum Schlagwort.

Dies alles hat Wirkungen auf das Familienleben. Sex und Gewalt im Fernsehen und besonders auf Videofilmen sind für die seelische Entwicklung von Kindern gefährlich. Die Nachteile des Fernsehkonsums sind deutlich zu sehen: Immer mehr Langeweile breitet sich in den Familien aus. Wer viele Stunden abends im Sessel sitzt, Bier trinkt und Nüsse oder Kekse ißt, der nimmt viele Kalorien zu sich und wird immer dikker. Auch die Augen leiden unter dem hohen Fernsehkonsum. Und die vielen Werbespots führen in der Regel nur dazu, daß man mehr Geld ausgibt, als man eigentlich möchte.

Da gibt es nur eine Lösung: Man kann den kleinen Knopf am Gerät nämlich nicht nur benutzen, um es einzuschalten, sondern auch, um es wieder auszuschalten. Nur finden viele Leute oft diesen Knopf nicht mehr.

S. 77ff. Weitere Übungen

3
1. oben, rauf 2. unten, runter 3. drüben, rüber 4. draußen, raus 5. hinein, rein

4
1. raus 2. rein 3. runter 4. rein 5. rauf 6. rüber 7. runter 8. runter 9. rein

7
1. die Hochzeit von meiner Schwester 2. die Antenne von dem Empfänger 3. das Schloß vom König Ludwig 4. das Grundstück von meinen Eltern 5. die Windeln von dem Kind 6. die Tastatur von dem Computer 7. die Mine von dem Kuli 8. die Bibliothek von dem Kloster 9. das Haar von dem Mädchen

8

(Die jeweils ersten Sätze werden nicht in der Schriftsprache benutzt!)
1. Das sind der Inge ihre Kinder. Das sind die Kinder von Inge.
2. Das ist dem Peter sein Hobby. Das ist das Hobby von Peter.
3. Das ist dem Michael seine Schokolade. Das ist die Schokolade von Michael.
4. Das sind der Tanja ihre Freundinnen. Das sind die Freundinnen von Tanja.
5. Gibst du mir mal der Helga ihre Autoschlüssel? Gibst du mir mal die Autoschlüssel von Helga?
6. Leihst du mir mal dem Jan seine Bademütze? Leihst du mir mal die Bademütze von Jan?

9

1. ihm schon 2. doch wohl nicht 3. haben doch wohl 4. Unfall schon 5. wird wohl 6. wird wohl 7. dir doch wohl 8. wird wohl 9. wird schon 10. ist ja wohl 11. wird wohl

10

1. fahren doch besser 2. ist doch der längste 3. ist doch schädlich 4. hatte doch Schuld 5. ist doch unendlich 6. haben doch (et)was 7. war doch schon in Südamerika 8. haben doch noch Mineralwasser 9. doch verlassen

11

1. Sei ja pünktlich! 2. Schließ ja die Haustür ab! 3. Denk ja nicht, du könntest die Prüfung mit links schaffen! 4. Bilde dir ja nicht ein, daß ich dich liebe! 5. Glaub ja nicht, daß man dich nie beim Schwarzfahren erwischt! 6. Kauf ja keine Teppiche an der Haustüre! 7. Halt ja deinen Mund! 8. Nimm ja keinen Kredit auf! 9. Spiel ja nicht mit Streichhölzern!
Hinweis: Sie können überall auch „bloß" benutzen, „nur" aber nur in der Verneinung.

12

(Anstelle von „eben" kann auch „halt", „nun mal" oder „einfach" stehen:)
1. werde ich eben nie 2. muß man eben 3. darf man eben 4. ist eben ein 5. läßt sich eben nicht 6. ist eben anstrengend 7. sei eben kein Vogel und könne eben deshalb 8. ist eben 9. ist eben 10. ist eben nicht mehr 11. bin eben

18

bequem ↔ unbequem, mühsam, lästig
dick ↔ dünn, dürr, mager
dumm ↔ gescheit, intelligent, klug
fest ↔ locker, lose, weich
frei ↔ abhängig, besetzt, gefangen
ganz ↔ halb, kaputt, teilweise
gerade ↔ gebogen, gekrümmt, schief
giftig ↔ eßbar, genießbar, ungiftig
klar ↔ dunstig, trübe, undeutlich
klug ↔ blöde, doof, dumm
laut ↔ leise, ruhig, still

privat ↔ geschäftlich, öffentlich, staatlich
süß ↔ bitter, salzig, sauer
teuer ↔ billig, preisgünstig, preiswert
traurig ↔ fröhlich, glücklich, heiter

19
Dummheit, Festigkeit, Freiheit, Klarheit, Klugheit, Neuheit/Neuigkeit, Süßigkeit, Traurigkeit, Bosheit, Fröhlichkeit, Öffentlichkeit, Undeutlichkeit, Abhängigkeit, Gewohnheit, Bitterkeit, Heiterkeit, Genießbarkeit

20
der Norden, der Süden, der Osten, der Westen
der Kofferraum, der Sitz, der Tankdeckel, der Tachometer
die Wurzel, der Stamm, der Ast, das Blatt
das Gesundheitsamt, das Standesamt, das Finanzamt, das Jugendamt
der Arzt, der Rechtsanwalt, der Psychologe, der Pfarrer
der Maurer, der Schreiner, der Schuster, der Bäcker
die Rose, die Tulpe, die Nelke, das Veilchen
der Nominativ, der Genitiv, der Dativ, der Akkusativ
der Filzstift, der Bleistift, der Kuli, der Füller
der Hering, der Lachs, der Rotbarsch, die Scholle
das Messer, die Gabel, der Löffel, der Kaffeelöffel
Schwimmen, Stabhochsprung, Hammerwerfen, Surfen
Basteln, Fotografieren, Tanzen, Musizieren
der Haß, die Liebe, der Zorn, die Eifersucht
das Pfund, der Dollar, die Lira, der Yen
der Blumenkohl, der Spinat, die Möhre, der Rettich
Ungarisch, Tschechisch, Polnisch, Russisch
Finnland, Norwegen, Island, Dänemark
die Italienerin, die Spanierin, die Portugiesin, die Griechin
der Franzose, der Ire, der Belgier, der Holländer
der Staatsanwalt, der Verteidiger, der Zeuge, der Richter
der Gin, der Wodka, der Rum, der Obstler
der Traubensaft, der Orangensaft, der Apfelsaft, der Birnensaft
die Blaubeere, die Johannisbeere, die Himbeere, die Brombeere

21
1. die Gültigkeit des Visums (für einen Monat) 2. das Begräbnis der Opfer 3. die (günstige) Lage des Hotels 4. der Ausbruch des Vesuvs 5. die Einfuhr von Getreide 6. die Geburt eines Sohnes 7. die Entlassung (der Hälfte) der Belegschaft 8. das (falsche) Verhalten des Fahrschülers 9. der Ausfall der Elektrizität 10. der Fund eines Wracks (durch den Taucher) 11. die Flucht der Gefängnisinsassen 12. die Empfehlung (von) salzarmer Kost 13. der Ablauf des Ultimatums 14. sein Handel mit Drogen 15. der Bienenstich/Stich der Biene 16. das Geständnis des Erpressers 17. der Abschuß des Passagierflugzeugs 18. der Geruch frischen Brotes/von frischem Brot 19. die Besprechung der Lage 20. die Sperrung der Autobahn

1. hat gegolten 2. sind begraben worden 3. hat/war günstig gelegen 4. ist ausgebrochen 5. hat eingeführt 6. ist geboren worden 7. ist entlassen worden 8. hat sich

falsch verhalten 9. ist ausgefallen 10. hat ein Wrack gefunden 11. sind geflohen 12. hat empfohlen 13. ist abgelaufen 14. hat gehandelt 15. hat gestochen 16. hat gestanden 17. ist abgeschossen worden 18. hat gerochen 19. ist besprochen worden 20. ist gesperrt worden

22

1. Wenn das Hotel brennt, dann alarmiere ich die Zimmernachbarn. 2. Wenn mich meine Schwiegermutter plötzlich besucht, backe ich eine Obsttorte. 3. Wenn meine Haare ausfallen, dann kaufe ich ein Toupet. 4. Wenn ich mich mit meinem Chef streite, dann melde ich mich krank. 5. Wenn ich mir in den Finger schneide, dann klebe ich ein Pflaster auf die Wunde. 6. Wenn mein Computer ausfällt, dann bringe ich ihn zur Reparatur. 7. Wenn in meine Wohnung eingebrochen wird, dann rufe ich die Polizei an. 8. Wenn die Alarmglocke läutet, dann verlasse ich das Gebäude. 9. Wenn sich der Zug verspätet, dann kaufe ich mir eine Zeitschrift. 10. Wenn meine Nachtruhe gestört wird, dann beschwere ich mich beim Nachbarn. 11. Wenn mein Wagen gestohlen wird, gehe ich zur Polizei. 12. Wenn die Bremse versagt, dann ziehe ich die Handbremse. 13. Wenn das Flugzeug startet oder landet, dann schnalle ich mich an. 14. Wenn ich meinen Reisepaß verliere, dann gehe ich zum nächsten Konsulat. 15. Wenn es stürmt und hagelt, dann verlasse ich nicht das Haus. 16. Wenn mich jemand unerwartet küßt, dann kriegt er eine Ohrfeige.

23

zu/an Ostern, nächstes Jahr, in einem Jahr, in einer knappen Stunde, übernächstes Wochenende, am Donnerstag abend, am kommenden Mittwoch, in der Nacht, um Mitternacht, an/zu deinem Geburtstag, zu/an Pfingsten, am ersten Mai, in ein paar Sekunden, gegen/am/zum Ende der Woche, um 7.30 Uhr, vor/nach Ablauf der Frist, vor/nach meinem Urlaub, zum/am Wochenbeginn, in ein paar Stunden, in der nächsten Stunde, zu Karneval, im Spätsommer, dieses Wochenende, in/nach vier Tagen, im Mai, gegen Mitte Juli, zu/an Silvester, am Heiligen Abend, in der Frühe, innerhalb der nächsten Woche, in wenigen Stunden, in/nach zwei Jahren, im Jahr 1999, in der dritten Aprilwoche, vor/bei/nach Tagesanbruch, vor/bei/nach Einbruch der Nacht, vor/bei/nach Sonnenuntergang

Die Präposition kann man weglassen bei:
Ich komme ... Ostern, Donnerstag abend, kommenden Mittwoch, Pfingsten, Ende der Woche, 7.30 Uhr, Mitte Juli, Heiligabend, Silvester.

24

1. Was für Möbel? 2. Welche Grapefruit? 3. Auf was für ein Gymnasium? 4. Welches Mannequin? 5. Was für Hunde? 6. Welche Pension? 7. Welche Medaille? 8. Welche Etage? 9. Was für einen Bungalow? 10. Welches Garagentor? 11. Was für/Welche Gewürze? 12. Was für (einen) Senf?

25

1. Du solltest das Geschirr abtrocknen. Du brauchst das Geschirr nicht abzutrocknen. 2. Du solltest dir eine Krawatte umbinden, wenn wir ausgehen. Du brauchst dir keine Krawatte umzubinden, wenn wir ausgehen. 3. Du solltest deinen Teller leer essen. Du brauchst deinen Teller nicht leer zu essen. 4. Du solltest dich bei ihr ent-

schuldigen. Du brauchst dich nicht bei ihr zu entschuldigen. 5. Du solltest nur biologische Lebensmittel kaufen. Du brauchst nicht nur biologische Lebensmittel zu kaufen. 6. Du solltest dir die Telefonnummer merken. Du brauchst dir die Telefonnummer nicht zu merken. 7. Du solltest die Auskunft anrufen. Du brauchst die Auskunft nicht anzurufen. 8. Du solltest eine Münze in die Parkuhr einwerfen. Du brauchst keine Münze in die Parkuhr einzuwerfen. 9. Du solltest nach links abbiegen. Du brauchst nicht nach links abzubiegen. 10. Du solltest die Zeitung abbestellen. Du brauchst die Zeitung nicht abzubestellen.

26

1. Während das Flugzeug startete, platzte ein Reifen. 2. Bevor das Manuskript veröffentlicht wurde, hatte ich es gelesen. 3. Nachdem der Streik beendet worden war, kam es zu neuen Unruhen. 4. Bevor er ins Krisengebiet abreiste, hatte ich ihn noch gewarnt. 5. Während sie fernsah, ist sie eingenickt. 6. Nachdem ich meinen kranken Schwiegervater besucht hatte, war ich erleichtert. 7. Während er redete, fing es furchtbar zu regnen an. 8. Bevor Sie bezahlen, sollten Sie die Rechnung überprüfen. 9. Nachdem die Geiseln befreit worden waren, waren alle erleichtert. 10. Nachdem wir am Flughafen angekommen waren, stellten wir fest, daß die Maschine überbucht war. 11. Bevor die Bank überfallen wurde, habe ich eine verdächtige Frau bemerkt. 12. Bevor du den Vertrag unterzeichnest, solltest du das Kleingedruckte lesen. 13. Während sein Ausweis kontrolliert wurde, versuchte der Terrorist zu entkommen.

27

1. Bei Sonnenaufgang 2. Bei Regen 3. Nach seiner Pensionierung 4. Nach dem Essen 5. Nach der Rede des Präsidenten 6. Vor seiner Operation 7. Vor ihrer Fahrt nach Berlin 8. Nach der Wende der politischen Verhältnisse 9. Vor dem Eintreffen des Taxis 10. Vor seinem Zusammenbruch 11. Nach dem Erfahrungsaustausch 12. Bei der Eröffnung der Messe 13. Nach der Landung des Flugzeugs

28

1. Seitdem er geschieden ist, muß er Unterhalt zahlen. 2. Als sie staubsaugte, fand sie den Ring. 3. Wenn die Sicht klar ist, sieht man die Zugspitze. 4. Falls im öffentlichen Dienst gestreikt wird, fahren die Busse nicht. 5. Weil die Steuern erhöht wurden, verlor die Regierung die Wahlen. 6. Er mietete das Appartement, zumal es verkehrsgünstig lag. 7. Wenn es keine Antibiotika gäbe, würden mehr Menschen sterben. 8. Obwohl die Zeugen gegen ihn aussagten, wurde er freigesprochen. 9. Solange er studierte, erhielt er ein Stipendium. 10. Sooft sie stritten, versuchte sie, recht zu behalten. 11. Um die Arbeitszeiten zu kontrollieren, benutzen wir eine Stechuhr. 12. Er rast durch die Stadt, als ob er verrückt wäre. 13. Soweit ich informiert bin, hat er ein Bankkonto in der Schweiz. 14. Indem wir Solartechnik einsetzen, sparen wir Energie. 15. Soviel ich weiß, ist Berlin der neue Regierungssitz. 16. Statt daß man ihm kündigte, erhielt er eine Abmahnung.

29

1. ein sprechender Papagei 2. ein sinkendes Schiff 3. kochende Milch 4. brennende Kerzen 5. verletzende Worte 6. erschreckende Ausmaße 7. eine nicht enden wollende Rede 8. eine enttäuschende Erfahrung 9. ein bezauberndes Kleid

10. wohltuende Stille 11. das schlafende Kind 12. ein sterbender Schwan 13. schmelzendes Eis 14. die zunehmende Gewalt 15. die untergehende Sonne 16. im Wasser treibendes Holz 17. kichernde Mädchen 18. ein ernst zu nehmender Gegner

30
1. Fische, die fliegen, sind fliegende Fische. 2. Wasser, das fließt, ist fließendes Wasser. 3. Schuhe, die passen, sind passende Schuhe. 4. Einnahmen, die sinken, sind sinkende Einnahmen 5. Wölfe, die heulen, sind heulende Wölfe. 6. Parteien, die rivalisieren, sind rivalisierende Parteien. 7. Eine Kritik, die vernichtet, ist eine vernichtende Kritik. 8. Wohnungen, die leer stehen, sind leerstehende Wohnungen. 9. Erinnerungen, die bleiben, sind bleibende Erinnerungen. 10. Ein Argument, das überzeugt, ist ein überzeugendes Argument. 11. Ein Baby, das schreit, ist ein schreiendes Baby. 12. Das Semester, das kommt, ist das kommende Semester. 13. Fieberanfälle, die sich wiederholen, sind sich wiederholende Fieberanfälle. 14. Geräusche, die klopfen, sind klopfende Geräusche.

31
1. niemand mehr 2. noch nie 3. nie mehr 4. nichts mehr 5. noch niemand 6. noch nichts 7. nicht mehr 8. nichts mehr 9. nichts mehr

1. schon 2. schon (ein)mal 3. noch (ein)mal 4. schon jemand 5. noch (et)was 6. noch jemand 7. schon (ein)mal 8. schon (et)was

32
1. noch welche, keine mehr 2. keine mehr, noch welche 3. noch eins, keins mehr 4. noch einer, keiner mehr 5. noch welche, keine mehr 6. noch welche, keine mehr 7. noch eins, keins mehr 8. keine mehr, noch welche 9. noch einen, keinen mehr 10. noch welcher, keiner mehr 11. noch welcher, keiner mehr 12. keins mehr, noch welches

33
Hast du schon ...
den Wecker gestellt, die Fotos entwickeln lassen, das Reisebüro angerufen, das Visum beantragt, die Rechnung bezahlt, den Schlüssel beim Hausmeister abgegeben, eine Platzkarte bestellt, den Roman zurückgebracht, Tante Frieda eingeladen, das Taxi bestellt, die Blumen gegossen, das Auto gewaschen, zum Geburtstag gratuliert, das Garagentor abgeschlossen, die Alarmanlage eingeschaltet, die Reiseschecks unterschrieben, die Formulare ausgefüllt, das Gebiß in den Koffer gepackt, die Adresse notiert, den Witz vergessen, den Lottoschein abgegeben?

35
1. hat geflogen 2. bin geflogen 3. ist geritten 4. hat geritten 5. ist gefallen 6. hat gefallen 7. bin geschwommen 8. hat geschwommen 9. ist gerissen 10. hat gerissen 11. bin gesprungen 12. hat übersprungen 13. bin gezogen 14. hat gezogen

36
1. Die Goldkurse sind in der letzten Woche gefallen. 2. Die ältere Dame ist auf der nassen Straße ausgeglitten. 3. Der Motorradfahrer ist dem Fußgänger ausgewi-

chen. 4. Der Gummibaum ist im Urlaub eingegangen. 5. Über Nacht ist eine Besserung des Zustands des Kranken eingetreten. 6. Die Bäume sind durch den Sturm umgefallen 7. Am Flughafen bin ich in ein Taxi eingestiegen. 8. Ich bin in eine Altbauwohnung im Bahnhofsviertel eingezogen. 9. Der Blitz ist in den Blitzableiter eingeschlagen. 10. Die Truppen sind auf Widerstand gestoßen. 11. An der Haltestelle bin ich in die Straßenbahn umgestiegen. 12. Der Intercity ist mit Verspätung in Salzburg abgefahren.

37

1. auf einer gelungenen Party 2. in der gestohlenen Handtasche 3. eine gebratene Forelle 4. tiefgefrorenes Fleisch 5. eine verlorene Wette 6. die betrogene Ehefrau 7. ein erschrockenes Kind 8. das zerrissene Blatt Papier 9. der eingetroffene Zug 10. der zerbrochene Krug 11. eine gebogene Linie 12. eine ausgedachte Geschichte 13. der betrunkene Fahrer 14. verschwundene Wertsachen 15. mit geriebenen Kartoffeln 16. das abgewogene Gemüse 17. geschnittene Zwiebeln 18. der vergessene Name 19. auf einem verbotenen Weg 20. ein mißlungener Versuch

38

1. eingeschlafene Füße 2. die versprochene Belohnung 3. eine durchzechte Nacht 4. übereilte Entschlüsse 5. eine kaputtgegangene Glühbirne 6. die enthaltenen Konservierungsstoffe 7. der beschriebene Unfallhergang 8. der vergeudete Reichtum 9. eine unterstrichene Überschrift 10. ihre hübsch angezogene Puppe 11. der überführte Räuber 12. die unterbliebene Hilfe 13. der unterlegene Ringkämpfer 14. eine übergeordnete Position 15. die unterbrochenen Verhandlungen 16. der untergetauchte Terrorist 17. die überschrittenen Grenzwerte 18. ein übergelaufener Spion 19. der überraschte Einbrecher 20. eine ausgeraubte Villa

39

1. Wir haben jemand um Hilfe rufen hören. 2. Er hat mich nicht zu Wort kommen lassen. 3. Sie hat der älteren Dame die Tasche tragen helfen. 4. Ich habe alles so kommen sehen. 5. Er hat die Sportschau sehen wollen. 6. Die Kinder haben Silvester länger aufbleiben dürfen. 7. Sie hat das Baby ins Bett bringen sollen. 8. Er hat die Bilanz überprüfen müssen. 9. Er hat seinen Nachtisch nicht essen mögen. 10. Sie hat sich gut an ihre Kindheit erinnern können.

40

1. Er schreibt, daß Onkel Heinrich gestorben sei. Die Beerdigung finde am Mittwoch statt. 2. Er schreibt, daß das Flugzeug ausgebucht sei. Er komme morgen. 3. Er schreibt, daß er einen Motorschaden habe. Er brauche einen Austauschmotor. 4. Er schreibt, daß die Sendung beschädigt eingetroffen sei. Man verweigere die Annahme. 5. Er schreibt, daß er das Schiff verpaßt habe. Er nehme das nächste. 6. Er schreibt, daß er den Betrag per Telex überwiesen habe. Er bitte um eine Empfangsbestätigung. 7. Er schreibt, daß seine Schecks mit Scheckkarte entwendet worden seien. Man solle sein Konto sperren. 8. Er schreibt, daß Christel geboren sei. Der Vater sei wohlauf.

41

1. daß er am schnellsten laufen würde 2. daß er die Unwahrheit sagen würde 3. daß er eine Geschäftsreise ins Ausland unternehmen würde 4. daß sie ihr Opfer umbrin-

gen würden 5. daß er seine Untergebenen schlecht behandeln würde 6. daß die Renten erhöht würden 7. daß sie ihn bald wiedersehen würde

42
1. daß sie sich bessern werde 2. daß er von seinem Amt zurücktreten werde 3. daß die Angelegenheit vertraulich behandelt werde 4. daß er die Ware fristgerecht liefern werde 5. daß sie sich um die Sache kümmern werde 6. daß er die Auslandsschulden abbauen werde 7. daß er seinen ermordeten Bruder rächen werde

43
1. daß der Hund bissig sei/der Hund sei bissig 2. daß ich mit ihm rechnen könne/ich könne mit ihm rechnen 3. daß man hier nicht rauchen dürfe/hier dürfe man nicht rauchen 4. daß er seinen Kollegen vertreten solle/er solle seinen Kollegen vertreten 5. daß er keine dicken Bohnen möge/er möge keine dicken Bohnen 6. daß er in seinem Leben immer Schwein gehabt habe/er habe in seinem Leben immer Schwein gehabt 7. daß sie für immer und ewig bei ihm bleiben wolle/sie wolle für immer und ewig bei ihm bleiben 8. daß er sich vor der Polizei verstecken müsse/er müsse sich vor der Polizei verstecken 9. daß er nichts von den Vorgängen in seiner Firma wisse/er wisse nichts von den Vorgängen in seiner Firma 10. daß sie nichts von Computertechnik verstehe/sie verstehe nichts von Computertechnik 11. daß er das Ergebnis abwarten werde/er werde das Ergebnis abwarten 12. daß er den Untersuchungsbericht nicht kenne/er kenne den Untersuchungsbericht nicht

44
1. starken 2. heiße 3. saure 4. gesalzene 5. eiskaltes 6. frische 7. geräucherter 8. gekochte 9. belegte

45
1. gekühltes Bier 2. tiefgefrorene Himbeeren 3. offenen Wein 4. eine einfarbige Krawatte 5. einen englischen Schaukelstuhl 6. ein altmodisches Kostüm 7. einen dunklen Anzug 8. nichtalkoholische Getränke 9. klassische Musik 10. dunkle Zigarren 11. einen grünen Bikini 12. russischen Kaviar 13. gebrannte Mandeln 14. einen gemischten Salat 15. eine chinesische Vase 16. mageres Rindfleisch 17. biologisch angebautes Gemüse

46
1. rotes Auto 2. neuer Schwarm 3. schwarzer Kamm 4. eigene Worte 5. verrückte Ideen 6. ungebügelte Wäsche 7. schlagfertige Antwort 8. schmutzige Tasse 9. intellektuelle Freunde 10. blauer Schal 11. verlorener Schlüsselbund 12. hohe Telefonrechnung

1. rotes Auto gesehen 2. neuen Schwarm gesehen 3. schwarzen Kamm gesehen 4. eigene Worte noch im Gedächtnis 5. von Claudias verrückten Ideen gehört 6. ungebügelte Wäsche bemerkt 7. schlagfertige Antwort gehört 8. schmutzige Tasse bemerkt 9. intellektuelle Freunde gesehen 10. blauen Schal gesehen 11. verlorenen Schlüsselbund gesehen 12. hohe Telefonrechnung gesehen

47

aus: geschiedener Ehe, reichem Elternhaus, deutschen Landen, gutem Grund, langer Erfahrung, destilliertem Wein, freiem Willen, tiefer Überzeugung, gegebenem Anlaß, gehärtetem Glas, damaliger Sicht, alter Tradition

durch: andere Umstände, wachsende Einnahmen, hohes Verkehrsaufkommen, feigen Mord, heftige Regenfälle, ausströmendes (ausgeströmtes) Gas, dichten Nebel, herabfallendes (herabgefallenes) Gestein, tödliches Gift, starke Orkanböen

am: letzten Sonntag, kommenden Wochenende, ersten Januar, folgenden Freitag, nächsten Morgen, neunundzwanzigsten Februar, morgigen Osterfest, heutigen Nationalfeiertag, gestrigen Neujahrsempfang

seit: langer Zeit, letzten April, vorigen Sommer, vorletzten Mittwoch, vielen Stunden, vergangenem Herbst, wenigen Jahren, etlichen Monaten

trotz: schlechten Wetters, rechtzeitiger Sturmwarnung, intensiver Vorbereitung, fortgeschrittenen Alters, aller Mühe, sinkender Einkünfte, starker Schmerzen, steigender Temperatur

48

ein altmodischer Schrank, viele moderne Möbel, das scharfe Messer, alle alten Bäume, keine hübschen Studentinnen, mein bester Freund, unsere neue Ware, saure Milch, etliche ältere Menschen, mit unseren lieben Großeltern, das andere Ufer, sein spezielles Hobby, dichter Nebel, knusprige Brötchen, bei den wilden Seeräubern, unsere dicke Freundschaft, kohlensäurehaltiges Mineralwasser, den gezähmten Tiger, bei vielen mittelalterlichen Kunstwerken, eine schwimmende Luftmatratze, mit meiner unleserlichen Handschrift, ein strenger Verkehrspolizist, für manche schönen Stunden, einige krumme Nägel, kein origineller Gedanke, die großen Löcher im Käse, ein interessanter Vortrag, seine große Leidenschaft, durch unser sofortiges Handeln, aus purem Egoismus, gegen sein eigenes Interesse, peinliche Sekunden, ein berühmtes Bauwerk, keine alkoholischen Getränke, sämtliche renovierten Häuser, etliche neue Produkte, gegen beide ausländischen Mannschaften, eine tolle Frisur, das bittere Ende

Reihe III: Krieg und Frieden

Auf Cassette wurden folgende Texte und Übungen aufgenommen:

Bertolt Brecht: *Wenn die Haifische Menschen wären* (S. 93/94)
Hören und verstehen: *Vater und Sohn über den Krieg* (S. 97)
Franz Alt: *Unsere Macht ist zerstörerisch* (S. 97/98)
Esoterik – ein Weg zum inneren Frieden? (S. 99)
Hören und verstehen: *Lesebuchgeschichten* von Wolfgang Borchert (S. 103)
Paul Celan: *Todesfuge* (S. 105)
Hören und verstehen: *Wofür?* von Manfred Mai (S. 107)
Kurt Tucholsky: *Und wenn alles vorüber ist* (S. 107)
Bertolt Brecht: *Die Seeräuber-Jenny* (S. 108/109)

Über die Verwendung des **Konjunktivs II** finden Sie ausführliche Informationen bei: Schulz/Griesbach, S. 52ff.; Helbig/Buscha, S. 189f.; Duden, S. 103ff.; Dreyer/ Schmitt, S. 226ff. (Neubearbeitung S. 241ff.)

S. 95

Bilden Sie das Präteritum und den Konjunktiv II
I. er kam, er käme; er blieb, er bliebe; er schrieb, er schriebe; er dachte, er dächte; er nahm, er nähme; er traf, er träfe; er las, er läse; er sah, er sähe; er aß, er äße; er fuhr, er führe; er fiel, er fiele; er ging, er ginge; er fing an, er finge an; er bat, er bäte; er bot, er böte; er lag, er läge; er wuchs, er wüchse; er begann, er begänne; er trug, er trüge; er floh, er flöhe; er log, er löge; er verlor, er verlöre; er sank, er sänke; er schoß, er schösse; er war, er wäre; er hatte, er hätte; er wurde, er würde
(Bei den schwachen Verben sind die Formen des Konjunktivs II und des Präteritums identisch: er kostete, er arbeitete, er rechnete, er mietete, er öffnete, er antwortete, er hoffte, er hörte, er telefonierte, er studierte, er versuchte, er gehörte.)

II. Die Konjunktivendungen sind: -e, -est, -e, -en, -et, -en

Konjunktiv-Quiz
1a, 2b, 3b, 4c, 5a, 6c, 7a

S. 96

Zu den **Negationsformen** vergleichen Sie bitte: Helbig/Buscha, S. 513ff.

Bilden Sie die Negationsformen
nirgends/nirgendwo, nirgendwohin, niemand, keiner, nichts, nie(mals)

Sie wünschen sich das Gegenteil
1. Wenn mir nur jemand helfen würde!
2. Wenn es hier bloß was zu rauchen gäbe!

3. Wenn er mir doch bloß mal schriebe (schreiben würde)!
4. Wenn ich doch meinen Freund irgendwo finden könnte!
5. Wenn ich bloß was verstehen würde!
6. Wenn wir bloß im Urlaub irgendwohin führen (fahren würden)!
7. Wenn doch jemand zu Hause wäre!
8. Wenn er nur nicht immer etwas vergessen würde!
9. Wenn sie nur etwas von ihrer Familie wüßte!
10. Wenn man bloß was zu essen kaufen könnte!
11. Wenn ich nur einschlafen könnte!
12. Wenn er nur mehr Geld verdienen würde!
13. Wenn ich doch meine Meinung sagen dürfte!
14. Wenn es doch nirgendwo auf der Welt Atomwaffen gäbe!
15. Wenn er mich doch mal besuchen würde!

S. 97

Hören und verstehen (Häufige Konjunktiv-II-Formen)
Vater und Sohn über den Krieg (gekürzt)
nach Karl Valentin

Sohn: Du, Vata, gell, der Krieg is was Gefährliches?
Vater: Freili, des is das Gefährlichste, was es gibt!
Sohn: Warum wird dann immer wieder Krieg geführt, wenn er so gefährlich is?
Vater: Ja mei! Es heißt halt, solange es Menschen gibt, gibt es Kriege.
Sohn: Wird dann das Volk auch gefragt, ob wir an Krieg wolln oder nicht?
Vater: Nein, 's Volk wird nicht gfragt, denn das Volk sind ja die Parteien, weil das
Sechzig-Millionen-Volk im Reichstagsgebäude keinen Platz hätte – deshalb
hat das Volk seine Vertreter.
Sohn: Du, Vata, werdn die Soldaten auch gfragt, obs an Krieg wolln?
Vater: Na! Die Soldaten werden nicht gfragt, die müssen in den Krieg ziehn, sobald
er erklärt ist – mit Ausnahme der Freiwilligen.
Sohn: Müssen die Freiwilligen auch schießen im Krieg?
Vater: Nein – ein Freiwilliger muß nicht, der schießt halt, weil im Krieg geschossen
werden muß.
Sohn: Dann müssens ja doch!
Vater: Aber nur freiwillig muß er!
Sohn: Gell, Vata, die Gewehre, die Kanonen, die Fliegerbomben und alle die Kriegs-
werkzeuge, die läßt alle der Kaiser machen?
Vater: Natürlich.
Sohn: Die sind teuer, gell Vata?
Vater: Die sind freilich teuer, die kosten viele, viele Milliarden.
Sohn: Der Kaiser kanns aber leicht zahln, weil er reich is.
Vater: Der is freili reich, der Kaiser is der reichste Mann im ganzen Land.
Sohn: Von was is denn der Kaiser so reich worn, Vata?
Vater: Durch sein Volk – durch die vielen Steuern.
Sohn: Aber dem Kaiser sein Volk is net reich.
Vater: Nein, das nicht, aber das macht die Masse. Wenn zum Beispiel von den

60 Millionen Menschen nur jeder eine Mark Steuern im Jahr zahlt, sind es schon 60 Millionen Mark.

Sohn: Ja, Vata, wennst du und deine Arbeitskameraden nie in einer Rüstungsfabrik arbeiten tatn, dann gäb es doch keine Waffen – dann wär doch immer Frieden, weil man ohne Waffen keinen Krieg führen kann.

Vater: Ja, ja, da hast du schon recht – aber das müssen alle Arbeiter auf der ganzen Welt beherzigen.

Sohn: Warum tuans das nicht?

Vater: Mei, Bua – du bist noch so jung – das verstehst noch nicht, wenn ich dir das auch erklär – die Arbeiter werden von den Kapitalisten überlistet.

Sohn: Warum hast du dann nicht gestreikt?

Vater: Ich allein kann doch nicht streiken – wenn schon, dann müssen alle Arbeiter der ganzen Welt sofort in den Streik treten und keine Waffen mehr machen, dann wäre gleich Schluß mit den unseligen Kriegen.

Sohn: Warum tun das dann die Arbeiter nicht?

Vater: Mei, Bua, redst du dumm daher. Wenn i damals nach der großen Arbeitslosigkeit net in der Rüstungsfabrik gearbeitet hätt, wären wir, ich, die Mutter und du, verhungert und die anderen Arbeiter auch.

Sohn: Ja, du hast ja doch gearbeitet, und trotzdem müssen wir heute auch bald verhungern.

Vater: Na, na – so schlimm wirds nicht werden.

Sohn: Wenn sich aber die ganzen Arbeiter auf der Welt einig wären, gäbs dann auch noch an Krieg?

Vater: Nein – dann nicht mehr – das wäre der ewige Friede.

Sohn: Aber gell, Vata – die werden nie einig.

Vater: Nie!

Aus der Süddeutschen Zeitung (Texttransformation)
Die neuesten demoskopischen Erhebungen belegen nach Informationen der SZ, daß junge Frauen die Bundeswehr immer mehr für eine attraktive Alternative zur freien Wirtschaft halten. Dies zeigt sich auch in mehr Anfragen und Bewerbungen. Etwa die Hälfte aller Bürger denken demnach, daß der Wehrdienst eine reine Männersache sei (wäre). Immerhin meinen aber 44 Prozent, Frauen solle die Möglichkeit gegeben werden, sich freiwillig zur Bundeswehr zu melden; aber die Mehrheit ist dabei der Meinung, sie dürften keinen Dienst mit der Waffe leisten.

S. 98

Unsere Macht ist zerstörerisch (Textrekonstruktion)

1. vernichten
2. weniger, als
3. Obwohl (Obgleich)
4. Derjenige (Der)
5. Aufgabe, zu
6. Krieg, Haß, Trauer, Geburt

S. 102

1. Es ist zweifelhaft, daß man den eigenen Atem und Herzschlag regulieren kann.
2. Es ist eher unwahrscheinlich, daß man fremde Gedanken lesen kann. 3. Es ist durchaus wahrscheinlich, daß man jemand in Hypnose versetzen kann. 4. Es ist

denkbar, daß man barfuß über glühende Kohlen laufen kann. 5. Es ist nur schwer vorstellbar, daß man Stimmen aus dem Jenseits hören kann. 6. Es ist kaum möglich, daß man Erdstrahlen spüren kann. 7. Es ist ganz sicher, daß man durch Homöopathie heilen kann. 8. Es ist eher unwahrscheinlich, daß man nach dem Tod in einem anderen Körper weiterleben kann. 9. Es ist durchaus wahrscheinlich, daß man Gegenstände durch geistige Kraft bewegen kann. 10. Es ist kaum möglich, daß man von zukünftigen Ereignissen träumen kann. 11. Es ist völlig ausgeschlossen, daß man Gespenstern begegnen kann. 12. Es ist ganz unmöglich, daß man die Lottozahlen erraten kann. 13. Es ist nur schwer vorstellbar, das man durch Handauflegen heilen kann. 14. Es ist ganz ungewöhnlich, daß man politische Ereignisse vorhersagen kann. 15. Es ist völlig ausgeschlossen, daß man eine Reise in eine andere Zeit unternehmen kann. 16. Es ist ganz sicher, daß man durch Hingabe an einen Guru in geistige Abhängigkeit und wirtschaftliche Ausbeutung geraten kann. 17. Es ist so gut wie sicher, daß man den Charakter eines Menschen aus dessen Handschrift erkennen kann.

1. Daß es Hexen und Zauberer gibt, ist völlig ausgeschlossen. 2. Daß jeder Mensch einen Schutzengel hat, ist so gut wie sicher. 3. Daß positives Denken zu einem glücklichen Leben führt, ist durchaus wahrscheinlich. 4. Daß man mich leicht hypnotisieren könnte, ist leicht möglich. 5. Daß Drogen wie LSD das Bewußtsein erweitern, ist ganz sicher. 6. Daß der Teufel der wahre Herrscher der Welt ist, ist nur schwer vorstellbar. 7. Daß der Stand der Sterne bei der Geburt das Schicksal jedes Menschen prägt, ist denkbar. 8. Daß Horoskope in Illustrierten meist zutreffen, ist völlig ausgeschlossen. 9. Daß man mit einer Wünschelrute oder einem Pendel unterirdische Quellen oder verborgene Schätze finden kann, ist sehr wahrscheinlich. 10. Daß man sich durch Akupunktur das Rauchen abgewöhnen kann, ist so gut wie sicher. 11. Daß in früherer Zeit Astronauten von fremden Sternen die Erde besucht haben, ist ganz unmöglich. 12. Daß Hellseher den Kriminalbeamten bei der Suche nach Vermißten oft helfen, ist nur schwer vorstellbar. 13. Daß unser Planet Erde als Ganzes ein Lebewesen ist, ist kaum möglich. 14. Daß auch Pflanzen Gefühle haben, ist nur schwer vorstellbar. 15. Daß am Freitag, dem 13., mehr Unfälle als an anderen Tagen passieren, ist kaum anzunehmen. 16. Daß alle Ereignisse im Leben eines Menschen bereits vorherbestimmt sind, ist eher unwahrscheinlich.

S. 104

Hören und verstehen

Aus: Wolfgang Borchert: *Lesebuchgeschichten*

Als der Krieg aus war, kam der Soldat nach Haus. Aber er hatte kein Brot. Da sah er einen, der hatte Brot. Den schlug er tot. Du darfst doch keinen totschlagen, sagte der Richter. Warum nicht, fragte der Soldat.

Als die Friedenskonferenz zu Ende war, gingen die Minister durch die Stadt. Da kamen sie an einer Schießbude vorbei. Mal schießen, der Herr? riefen die Mädchen mit den roten Lippen. Da nahmen die Minister alle ein Gewehr und schossen auf kleine Männer aus Pappe.

Mitten im Schießen kam eine alte Frau und nahm ihnen die Gewehre weg. Als einer der Minister es wiederhaben wollte, gab sie ihm eine Ohrfeige.

Es war eine Mutter.

Es waren einmal zwei Menschen. Als sie zwei Jahre alt waren, da schlugen sie sich mit den Händen.

Als sie zwölf waren, da schlugen sie sich mit Stöcken und warfen mit Steinen.

Als sie zweiundzwanzig waren, schossen sie mit Gewehren nach einander.

Als sie zweiundvierzig waren, warfen sie mit Bomben.

Als sie zweiundsechzig waren, nahmen sie Bakterien.

Als sie zweiundachtzig waren, da starben sie.

Als sich nach hundert Jahren ein Regenwurm durch ihre beiden Gräber fraß, merkte er gar nicht, daß hier zwei verschiedene Menschen begraben waren. Es war dieselbe Erde. Alles dieselbe Erde.

S. 106
Abbildung: Welche Aufgabe hat Amnesty International?
Lassen Sie evtl. dieses Diktat zum Thema schreiben:

Amnesty International hat es sich zur Aufgabe gemacht, für die Freilassung und für die Unterstützung von Menschen zu arbeiten, die unter Mißachtung der Allgemeinen Erklärung der Menschenrechte verhaftet, gefangen, auf andere Weise physischem Zwang ausgesetzt oder Freiheitsbeschränkungen unterworfen sind, und dies aufgrund ihrer politischen, religiösen oder anderen Überzeugungen, ihrer ethnischen Abstammung, ihrer Hautfarbe oder ihrer Sprache, vorausgesetzt, daß sie Gewalt nicht angewendet noch sich für die Anwendung von Gewalt eingesetzt haben. Amnesty International tritt gegen die Verhängung und Vollstreckung von Todesurteilen, gegen die Folter und gegen grausame, unmenschliche oder erniedrigende Behandlung oder Bestrafung der Gefangenen ein. Die Organisation setzt sich für die Einhaltung der Regeln eines gerechten Gerichtsverfahrens für alle politischen Gefangenen ein.

(Quelle: Amnesty International)

Lassen Sie das Problem diskutieren, warum Folter, Diktaturen und Kriege in unserer modernen Welt zunehmen. Kurzreferate von Teilnehmern aus verschiedenen Ländern zeigen verschiedene Sichtweisen z. B. des Problems der Toleranz gegenüber aktiven Minderheiten, der Todesstrafe, der Folter von Terroristen, etc. Lassen Sie verschiedene Meinungen zu, machen Sie Ihre eigene deutlich.

Finden Sie die Verben
einberufen, entlassen, verpflegen, bekleiden, bewaffnen, angreifen, zerstören, rüsten, schießen, feuern, befehlen, marschieren, wachen, vernichten, verteidigen

S. 107
Hören und verstehen

Manfred Mai
Wofür?

46

Tote steigen aus
ihren Gräbern, zuerst
wenige, dann immer mehr.

Sie schütteln sich
die Erde aus den
Knochen, grüßen alte Freunde.

Viele Worte sind
nicht nötig, sie wissen,
was zu tun ist.

Schweigend ziehen sie
an vollen Schaufenstern und
leeren Menschen vorbei.

Gegen die Innenstädte
richten sie ihre Schritte,
zu den Marktplätzen.

Geballte Fäuste am Ende
der Arme weisen
in alle Himmelsrichtungen

Dafür sind wir nicht
gestorben! rufen die Stimmen
in die Menge.

Die Leute hängen
an ihren Einkaufstaschen, nicken
den Toten verlegen lächelnd zu.

Weniger als zehn
bleiben einen Moment stehen, drücken
Münzen in hohle Hände.

S. 109

Das Verb „werden"
Zum Gebrauch als **Vollverb oder Modalverb** vgl. hierzu: Duden, S. 66f.; Helbig/Buscha S. 130.

Zum Gebrauch des **Futurs I:** Schulz/Griesbach, S. 49f.; Helbig/Buscha 154ff.; Duden, S. 85f.; Dreyer/Schmitt, S. 104f. (Neubearbeitung S. 112f.)

S. 112

Silbenrätsel
die Aufrüstung, der Verteidiger, der Gegner, der Feigling, der Angriff, die Niederlage, der Aufbau, den Krieg erklären, kapitulieren

Substantivierte Adjektive
der Tote, die Toten; der Vermißte, die Vermißten; der Kranke, die Kranken; der Schwache, die Schwachen; der Verletzte, die Verletzten; der Amputierte, die Amputierten; der Verwundete, die Verwundeten; der Gefallene, die Gefallenen; der Fahnenflüchtige, die Fahnenflüchtigen; der Wehrpflichtige, die Wehrpflichtigen; der Freiwillige, die Freiwilligen

Näheres zu den **substantivierten** (nominal gebrauchten) **Adjektiven** finden Sie bei: Duden, S. 255ff.; Helbig/Buscha, S. 249f.; Schulz/Griesbach, S. 68; Dreyer/Schmitt, S. 204f. (Neubearbeitung S. 216f.)

S. 113

Ergänzen Sie
1. die Gefangenen 2. Alle Verwundeten 3. Die Verletzten und Kranken 4. Den Gefallenen 5. viele Ertrunkene und Vermißte 6. Alle Angehörigen der Verwundeten

und Gefallenen 7. Ein Geistlicher tröstet die Hinterbliebenen 8. allen Freiwilligen und Wehrpflichtigen 9. Alle Fahnenflüchtigen 10. Jugendliche und Alte

Zusatzfragen an die Schüler
Alle folgenden Sätze sind grammatisch korrekt. Fragen Sie die Schüler, welcher der Sätze nach deren Meinung richtig ist. Lassen Sie sich eine Erklärung geben.
1 a. Sämtliche Angestellte werden entlassen.
   b. Sämtliche Angestellten bekommen eine Gehaltserhöhung.
2 a. Ich gehe jetzt zum Essen.
   b. Ich fahre morgen nach Essen.
3 a. Ich bleibe gern zu Haus.
   b. Ich bleib' nicht gerne zu Hause.
4 a. Manche Jugendliche wollen nicht zum Militär.
   b. Manche Jugendlichen wollen gern Soldat werden.
5 a. Das Flugzeug fliegt über die Stadt.
   b. Der Hubschrauber fliegt über der Stadt.
6 a. Ich fahre mit dem Boot auf den See hinaus.
   b. Ich fahre mit dem Schiff auf die See hinaus.
7 a. Beide Verletzte kamen ins Krankenhaus.
   b. Beide Verletzten starben am Unfallort.

S. 114

Substantivierte Adjektive
angestellt:	der Angestellte, manche Angestellte(n)
intellektuell:	ein Intellektueller, alle Intellektuellen
verrückt:	ein Verrückter, etliche Verrückte
bekannt:	ein Bekannter, diese Bekannten
angehörig:	eine Angehörige, keine Angehörigen
verwandt:	eine Verwandte, solche Verwandten
verlobt:	die Verlobte, mehrere Verlobte
arbeitslos:	ein Arbeitsloser, einige Arbeitslose
abgeordnet:	der Abgeordnete, wenige Abgeordnete
vorsitzend:	ein Vorsitzender, jene Vorsitzenden
reisend:	der Reisende, alle Reisenden
neugierig:	ein Neugieriger, etliche Neugierige
geistlich:	der Geistliche, viele Geistliche

S. 115

Spaß muß sein
Gefreiter, Unbekannter, Gefreite, Vorgesetzter, Wachhabenden, Gefreite – Gefreiter – Gefreiter, Vorgesetzter, Gefreiten

S. 116

Ergänzen Sie
1. Tote 2. Deutschen 3. Bekannter, vielen Arbeitslosen 4. Verwandter, Vorsitzender, Bundestagsabgeordneter 5. Verlobte, Verwandten 6. Deutsche(n), Fremde,

48

einzelne Deutsche, Deutschen 7. Alle Beamten, viele Angestellte, etliche 8. mehreren Intellektuellen 9. Streikenden, viele Angestellte, keine Beamten 10. Viele Jugendliche, Älteren 11. Strafgefangene, Obdachlose, Behinderte, Drogensüchtige, Homosexuelle

Zusatzübung
Falls Sie weitere Vokabeln zum Thema „Krieg und Frieden" üben wollen, bietet sich vielleicht diese Wortschatzübung an. Lassen Sie den Oberbegriff der folgenden Wörter finden:
die Kanone, die Rüstung, der Panzer, die Rakete (Rüstung)
die Uniform, der Stahlhelm, der Gürtel, der Orden (Uniform)
das Gewehr, die Pistole, die Schußwaffe, das Maschinengewehr (Schußwaffe)
die Marine, das Heer, die Luftwaffe, die Streitkräfte (Streitkräfte)

S. 117/118

Ihnen, keiner Armee, der Allgemeinheit, mir, dem Gegner, Ihnen, Ihrer Frage, mir, mir, mir, meinem Vaterland, Unseren Politikern, ihnen, mir, Ihnen, dem Vaterland, dem, dem Wehrdienst, der Armee, dem Wahnsinn, meinem Ideal, mir, Mir, meinem Gewissen, mir, keinem Führer, mir, Ihnen, Mir, Ihnen, der des Feindes, Ihnen, Ihnen, mir, Mir, Mir, Ihnen, Ihnen, Ihren Siegesmeldungen, denen, anderen Vorbildern, Ihnen, Ihnen, Mir, mir, mir, der Ehre, mir, Mir, mir, mir, keinem Uniformierten, dem Befehl, ihrem Gewissen, Ihnen, der Gewalt, dem Befehl, der Lüge, der Versuchung, dem Hurrageschrei, den Rednern, Ihren Paraden, mir, Ihnen

Verben mit dem Dativ
vgl. Sie hierzu: Duden, S. 495f.; Helbig/Buscha, S. 58f.; Dreyer/Schmitt, S. 145f. (Neubearbeitung S. 155f.)

S. 118

Wie hätten Sie entschieden?
Die Sekretärin verlor den Prozeß. Aus der Urteilsbegründung:
„Die Entscheidung, aus pazifistischen Gründen die Arbeit der Firma abzulehnen, wird nicht durch das Grundrecht aus Art. 4 Absatz 3 GG geschützt. Das hiernach gewährleistete Recht, den Kriegsdienst mit der Waffe zu verweigern, erstreckt sich nicht auf jede Mitwirkung am Krieg, sondern bezieht sich nur auf Tätigkeiten, die in einem – nach dem Stand der jeweiligen Waffentechnik – unmittelbaren Zusammenhang mit dem Einsatz von Kriegswaffen stehen. ... Angesichts der engen Verflechtungen in Wirtschaft und Gesellschaft trägt praktisch jede Tätigkeit zugleich dazu bei, etwa über die Zahlung von Steuern, die Herstellung von Nahrungsmitteln oder Bekleidung oder durch Mitwirkung an der Erzeugung anderer Güter oder Dienstleistungen, den Bestand, die Organisation und Funktionsfähigkeit der bewaffneten Macht zu erhalten bzw. zu stärken. Der Klägerin blieb und bleibt das Recht, aus Gewissensgründen Arbeitsstellen abzulehnen, ihr sind aber ... gewisse Opfer zuzumuten."

S. 122ff. Weitere Übungen

2

die Tankstelle (an der), der Autofriedhof (auf dem), das Fließband (am), das Schlaraffenland (im), der Juwelier (beim), das Aquarium (im), die Altstadt (in der), die Polizeiwache (auf der), die Burg (auf einer), das Hotelzimmer (in einem), das Zelt (in einem), das Einkaufszentrum (in einem), das Treibhaus (in einem), der Flohmarkt (auf einem), der Gefängnishof (auf dem), der Mond (auf dem), der Hafen (in einem), die Straßenbahnhaltestelle (an einer), die Kirche (in einer), das Parlament (im), die Kunstgalerie (in einer), der Skilift (auf einem), der Wasserfall (an einem), die Wüste (in der), die Sauna (in einer), das Taxi (in einem), der Tunnel (in einem), die Schreibwarenhandlung (in einer), die Militärkaserne (in einer), der Souvenirladen (in einem), das Museum (in einem), der Friseur (beim), der Zeitungskiosk (an einem), das Postamt (in einem), das Nonnenkloster (in einem), das Krankenhaus (im), die Metzgerei (in einer), das Atomkraftwerk (in einem), der Leuchtturm (auf einem), das Hexenhäuschen (in einem), das Bergwerk (in einem), der Kühlraum (in einem), das Fernsehstudio (in einem), das Oktoberfest (auf dem), der Karnevalszug (in einem)

Achtung
Alternativen bei Ortsangaben sind natürlich möglich. z. B.: in einem Taxi, vor einem Taxi, hinter einem Taxi, usw.

4

1. Bist du etwa Vegetarier geworden? 2. Hat er etwa einen Unfall gehabt? 3. Bist du etwa zur Kur gewesen? 4. Hast du etwa dein Studienfach gewechselt? 5. Hat es etwa keinen Treibstoff mehr gehabt? 6. Hast du es etwa verloren? 7. Hast du gestern abend etwa zuviel getrunken? 8. Hast du dich etwa neu verliebt? 9. Hast du etwa zuviel vom Konto abgehoben? 10. Hast du dich etwa bekleckert? 11. Haben die Nachbarn etwa gefeiert?

5

Beide sind gleich weit von Hannover entfernt.

7

1. ist es denn 2. ist er denn 3. Haben Sie denn 4. Wie teuer ist denn 5. braucht man denn 6. haben Sie denn 7. du dich denn 8. hast du denn 9. Ihr Kind denn

9

1. Halten Sie mal 2. Könnten Sie mir mal 3. Hätten Sie mal 4. Möchte Sie gern mal 5. Kannst du mal 6. Könntest du mir mal 7. Hilfst du mir mal 8. Würden Sie mir mal 9. Leih mir mal 10. Machen Sie uns mal

10

1. Schlaf dich ruhig aus 2. Probieren Sie ruhig 3. Kommen Sie ruhig 4. Fahren Sie ruhig 5. Verlassen Sie sich ruhig 6. Richten Sie die Beschwerde ruhig 7. Nehmen Sie sich ruhig 8. Bleiben Sie ruhig 9. Nimm ruhig 10. Wirf ruhig

13

Es war, als hätt' der Himmel
Die Erde still geküßt,
Daß sie im Blütenschimmer
Von ihm nun träumen müßt'.

Die Luft ging durch die Felder,
Die Ähren wogten sacht,
Es rauschten leis' die Wälder,
So sternklar war die Nacht.

Und meine Seele spannte
Weit ihre Flügel aus,
Flog durch die stillen Lande,
Als flöge sie nach Haus.

14

der Abend – der Morgen
die Abfahrt – die Ankunft
die Abkühlung – die Erwärmung
die Ablehnung – die Zustimmung
die Abmeldung – die Anmeldung
die Abnahme – die Zunahme
der Absender – der Empfänger
der Altbau – der Neubau
das Alter – die Kindheit
der Anfang – das Ende
das Angebot – die Nachfrage
die Antwort – die Frage
die Armut – der Reichtum
der Arzt – der Patient
die Ausfahrt – die Einfahrt
die Ausfuhr – die Einfuhr
der Ausgang – der Eingang
die Ausnahme – die Regel
die Belohnung – die Strafe
der Berg – das Tal
die Bitte – der Dank

der Cousin – die Cousine
die Dummheit – die Klugheit
die Dunkelheit – die Helligkeit
der Durst – der Hunger
die Eintracht – die Zwietracht
die Einzahl – die Mehrzahl
der Erfolg – der Mißerfolg
die Erlaubnis – das Verbot
der Ernst – der Spaß
der Fachmann – der Laie
der Feiertag – der Werktag
die Feigheit – der Mut
der Feind – der Freund
die Ferne – die Nähe
der Friede(n) – der Krieg
der Frost – die Hitze
der Frühling – der Herbst
der Gast – der Gastgeber
die Geburt – der Tod
der Gesunde – der Kranke
der Gewinn – der Verlust

15

die Alpen, der Schwarzwald, der Bayerische Wald, der Harz
die Hantel, der Tennisschläger, der Federball, der Turnschuh
die Pest, der Krebs, der Rheumatismus, die Grippe
der Kiosk, das Sportgeschäft, die Metzgerei, die Bäckerei
das Wohnzimmer, das Arbeitszimmer, die Küche, das Schlafzimmer
Sächsisch, Schwäbisch, Bairisch, Hessisch
das Dach, der Giebel, der Blitzableiter, der Schornstein
der Hund, die Katze, das Meerschweinchen, der Hamster
das Küken, das Fohlen, der Welpe, das Kätzchen
die Büchse, der Eimer, der Krug, die Schüssel
der Pelzmantel, der Handschuh, der Schal, die Pudelmütze
der Oberarm, der Ellbogen, das Handgelenk, der Bizeps
die Hautcreme, die Sonnenmilch, das Deodorant, der Lippenstift

das Theater, die Oper, das Museum, das Planetarium
das Gemälde, das Denkmal, die Skulptur, die Plastik
die Kuh, das Pferd, das Schaf, das Huhn
der Roggen, der Weizen, die Gerste, der Hafer
Surfen, Segeln, Wasserski, Rudern

16
Planet, Edelstein, Sternzeichen, Dokument, Religion, Schmuck, Studienfach, Sportart, Dialekt, Raubkatze, Säugetier, Vogel, Insekt, Verwandtschaft, Werkzeug, Wochentag

17
1. Wo krieg' ich knusprige Brötchen her? Geh doch mal in die Bäckerei. 2. Wo krieg' ich junge Bäume und Sträucher her? Geh doch mal in die Gärtnerei. 3. Wo krieg' ich einen handgemachten Keramiktopf her? Geh doch mal in die Töpferei. 4. Wo krieg' ich farbige Visitenkarten her? Geh doch mal in die Druckerei. 5. Wo krieg' ich ein altes Lexikon her? Geh doch mal in die Bücherei. 6. Wo krieg' ich einen maßgefertigten Anzug her? Geh doch mal in die Schneiderei. 7. Wo krieg' ich frisches Hammelfleisch her? Geh doch mal in die Metzgerei. 8. Wo krieg' ich eine leckere Torte her? Geh doch mal in die Konditorei. 9. Wo krieg' ich saubere Bettwäsche her? Geh doch mal in die Wäscherei. 10. Wo krieg' ich ein neues Türschloß her? Geh doch mal in die Schlosserei. 11. Wo krieg' ich ein großes Faß Bier her? Geh doch mal in die Brauerei.

18
Laß die Mäkelei, Heuchelei, Schaukelei, Schmiererei, Angeberei, Kritzelei, Sauferei, Drängelei, Fragerei, Fresserei, Rumsauerei, Wichtigtuerei, Streiterei!

19
1. der Import der Ware 2. die Explosion der Gasflasche 3. der Schutz der Nashörner 4. die Erprobung des Medikaments 5. der Anruf des Chefs 6. der Abschied der Gäste 7. der Widerspruch des Antragstellers 8. die Versteigerung der Gemälde 9. der Streit der nationalen Minderheiten 10. der Diebstahl meines Schmucks 11. der Abschluß der Arbeit 12. der Absturz des Hubschraubers 13. der Entwurf eines Plans 14. die Speicherung der Anschriften 15. die Ausweisung des Konsuls 16. das Wachstum des Getreides 17. die Wahl des Bürgermeisters 18. der Durchzug einer Kaltfront 19. die Rache des Opfers 20. der Austausch der Luftschichten

20
Beim Fußball kommt es darauf an, daß man die meisten Tore schießt.
Beim Marathonlauf kommt es darauf an, daß man eine gute Kondition hat.
Beim Fotografieren kommt es darauf an, daß man gute Motive findet.
Beim Mensch-ärgere-dich-nicht kommt es darauf an, daß man alle vier Steine als erster nach Hause bringt.
Beim Lottospiel kommt es darauf an, daß man sechs Richtige hat.
Bei der Mister-Universum-Wahl kommt es darauf an, daß man ein gutgebauter und muskulöser Mann ist.

Bei einer Verkehrskontrolle kommt es darauf an, daß das Fahrzeug in Ordnung ist und daß man keinen Alkohol getrunken hat.
Beim Monopoly kommt es darauf an, daß man möglichst viele Grundstücke kauft und Hotels baut.
Bei einem Bewerbungsschreiben kommt es darauf an, daß man sich gut verkaufen kann.
Beim Pilzesammeln kommt es darauf an, daß man keinen giftigen Pilz erwischt.
Beim Fechten kommt es darauf an, daß man geschickt parieren kann.
Bei einem Hotelbrand kommt es darauf an, daß man einen Fluchtweg nach draußen findet.
Beim Alkohol kommt es darauf an, daß man nicht zuviel davon trinkt.
Beim Schach kommt es darauf an, daß man den Gegner matt setzt.
Bei einer Raubtierdressur kommt es darauf an, daß die gefährlichen Tiere tun, was man will.
Bei einem Soldaten kommt es darauf an, daß er diszipliniert ist.
Bei einem Deutschlehrbuch kommt es darauf an, daß es Spaß macht, damit zu arbeiten.

21

Eisbahn, Autobahn, Laufbahn, Wildbahn, Landebahn, Rutschbahn, Kegelbahn, Fahrbahn, Flugbahn

22

Wasserhahn (Gegenstand), Streithahn (Mensch), Gewehrhahn (Gegenstand), Zapfhahn (Gegenstand), Auerhahn (Tier), Gashahn (Gegenstand), Haupthahn (Gegenstand), Benzinhahn (Gegenstand)

23

Mondschein, Lichtschein, Anschein, Vorschein, Kerzenschein, Heiligenschein, Sternenschein, Fackelschein

24

Ein Mensch trägt im Mund keinen ... „Affenzahn", „Löwenzahn", „Sägezahn", „Giftzahn", „Radzahn".

25

ein Jongleur jongliert im Zirkus, ein Taxichauffeur chauffiert ein Taxi, ein Souffleur soufliert den Schauspielern, ein Friseur frisiert seine Kunden, ein Masseur massiert seine Patienten, ein Fahrscheinkontrolleur kontrolliert die Fahrgäste, ein Kommandeur kommandiert seine Truppe, ein Inspekteur inspiziert etwas, ein Akquisiteur akquiriert Kunden, ein Importeur importiert Waren

26

ohne „e": klaglos, farblos, endlos, freudlos, straflos, hilflos, fraglos, sorglos, sprachlos, stimmlos

mit „s": teilnahmslos, ausnahmslos, arbeitslos, vermögenslos, einfallslos, konfessionslos, ausdruckslos, vorurteilslos, berufslos, widerstandslos, mitleidslos, erwerbslos ohne Änderung: ehelos, erfolglos, zusammenhanglos, gefahrlos, gehörlos, ärmellos, zahllos, spurlos, gewissenlos, formlos, zweifellos, ziellos, tadellos, skrupellos

mit „n": faltenlos, lückenlos, ideenlos, namenlos, grenzenlos

27
ohne Änderung: leidvoll, liebevoll, qualvoll, geschmackvoll, gefühlvoll, sinnvoll, wundervoll, machtvoll, wertvoll, grauenvoll, mühevoll, reizvoll, glanzvoll, schmerzvoll, ruhmvoll

mit „n": sorgenvoll

mit „s": sehnsuchtsvoll, rücksichtsvoll, eindrucksvoll, anspruchsvoll, widerspruchsvoll, verantwortungsvoll, erwartungsvoll, hochachtungsvoll, vertrauensvoll

28
1. Du wirst dir jetzt sofort die Hände waschen! 2.Du wirst jetzt sofort den Ball vom Dach holen! 3. Du wirst das jetzt sofort deinen Eltern beichten! 4. Du wirst jetzt sofort den Teller leer essen! 5. Du wirst jetzt sofort das Spielzeug einsammeln! 6. Du wirst jetzt sofort den Fernseher ausschalten! 7. Du wirst jetzt sofort den Aufsatz korrigieren! 8. Du wirst dich jetzt sofort bei der Oma entschuldigen! 9. Du wirst jetzt sofort den Handschuh suchen! 10. Du wirst jetzt sofort die Haustür zumachen! 11. Du wirst dir jetzt sofort die Nase putzen!

29
1. Du wirst sonst einen Sonnenbrand bekommen. 2. Du wirst sie sonst vergessen. 3. Du wirst sonst runterfallen. 4. Du wirst sonst verlieren. 5. Man wird es dir sonst klauen. 6. Sie wird sich sonst Sorgen machen. 7. Du wirst sonst ertrinken. 8. Du wirst dich sonst verbrennen. 9. Du wirst dich sonst vergiften. 10. Du wirst es sonst bereuen. 11. Du wirst sonst alles verspielen.

31
1. Die Erdbevölkerung wird sich wohl verdoppeln. 2. Das Weltklima wird sich wohl erwärmen. 3. Die tropischen Regenwälder werden wohl abgeholzt werden. 4. Viele Tier- und Pflanzenarten werden wohl ausgerottet werden. 5. Die Krebskrankheit wird wohl besiegt werden. 6. Der Meeresspiegel wird wohl ansteigen. 7. Der Tourismus wird wohl zunehmen. 8. Die Lebensmittelproduktion wird sich wohl erhöhen. 9. Der Flugverkehr wird sich wohl steigern. 10. Die Lebenserwartung wird wohl abnehmen. 11. Regionale Konflikte werden sich wohl vermehren. 12. Die Supermächte werden wohl ihre Macht verlieren. 13. Die Wüstengebiete werden sich wohl ausbreiten. 14. Die Computergeräte werden sich wohl verkleinern.

32
1. Hätten Sie 2. Könnten Sie 3. Würden Sie 4. Wären Sie 5. Dürfte ich 6. Hielten Sie

33
1. Würden Sie bitte Briefpapier nachbestellen? 2. Würden Sie bitte den Firmenwagen volltanken lassen? 3. Würden Sie bitte frischen Kaffee machen? 4. Würden Sie

mir bitte helfen, meine Brille zu finden? 5. Würden Sie bitte den Termin absagen? 6. Würden Sie mir bitte eine Kopfschmerztablette und ein Glas Wasser geben? 7. Würden Sie bitte den Reparaturdienst/Reparaturservice für den Kopierer benachrichtigen? 8. Würden Sie bitte einen anderen Flug buchen lassen? 9. Würden Sie bitte den Besuch empfangen? 10. Würden Sie bitte einen Strauß Blumen und eine Glückwunschkarte für unser Geburtstagskind besorgen?

34

1. Hätte ich ihn gesehen 2. Hättest du auf mich gehört 3. Hättest du eine lange Unterhose angezogen 4. Ginge ich ins Ausland 5. Bliebe ich über Nacht 6. Wäre er gesund

35

1. An deiner Stelle gäbe ich ihm weniger Süßigkeiten. 2. An ihrer Stelle hätte ich mich besser vorbereitet. 3. An ihrer Stelle ginge ich mal zum Augenarzt. 4. An deiner Stelle würde ich mich bei ihm entschuldigen. 5. An deiner Stelle würde ich mich darum bewerben. 6. An deiner Stelle ginge ich mal wieder einkaufen. 7. An deiner Stelle bliebe ich im Bett. 8. An deiner Stelle würde ich langsamer fahren. 9. An deiner Stelle würde ich mal die Störungsstelle anrufen. 10. An deiner Stelle würde ich trampen oder ein Taxi nehmen.

36

1. Wenn er doch bloß öfter schreiben würde! 2. Wenn sie doch bloß besser hören könnte! 3. Wenn wir doch bloß frei wären! 4. Wenn ihr doch bloß mehr Geld hättet! 5. Wenn er doch bloß versetzt würde! 6. Wenn sie doch diesmal bloß pünktlich käme! 7. Wenn er das doch bloß könnte! 8. Wenn sie mich doch bloß zu Wort kommen lassen würde!

37

1. Es wäre ratsam, wenn Sie die Geldbuße bezahlen würden. 2. Es wäre klüger, wenn Sie den Mund halten würden. 3. Es wäre konsequent, wenn Sie kündigen würden. 4. Es wäre aufrichtiger, wenn Sie von Ihrem Amt zurücktreten würden. 5. Es wäre besser, wenn Sie den Mut nicht sinken lassen würden. 6. Es wäre empfehlenswert, wenn Sie eine Versicherung abschließen würden. 7. Es wäre weniger gefährlich, wenn Sie den Hund an die Leine nehmen würden. 8. Es wäre gesünder, wenn Sie mehr Sport treiben würden.

39

1. fast wäre er in die falsche Richtung gefahren 2. fast wäre er zu spät gekommen 3. fast hätte er sie verloren 4. fast hätte er zugebissen 5. fast wäre sie eingestürzt 6. fast hätte sie ihn getroffen 7. fast wäre er entkommen 8. fast hätte er sie erraten

40

1. Wenn sie ihm einmal deutlich die Meinung gesagt hätte, hätte er sie bestimmt in Ruhe gelassen. 2. Wenn ich im Lotto gewonnen hätte, hätten alle meine Verwandten etwas abgekriegt. 3. Wenn ich Politiker gewesen wäre, hätte es keine Korruption gegeben. 4. Wenn ich in die Tropen gefahren wäre, hätte ich mich gegen Malaria geschützt. 5. Wenn ich an deiner Stelle gewesen wäre, hätte ich mich nicht mit

meinem Vorgesetzten angelegt. 6. Wenn du nicht getrunken hättest, wäre ich mit dir gefahren. 7. Wenn kein Stau gewesen wäre, hätten wir die Maschine nach München noch kriegen können. 8. Wenn wir Viren im Computer gehabt hätten, hätten wir einen Fachmann um Hilfe bitten müssen. 9. Wenn du die Grammatik gelesen hättest, hättest du mehr gewußt.

41

1. als ob er der Kaiser von China wäre 2. als ob sie es selbst erlebt hätte 3. als ob die Goldpreise fielen 4. als ob ich im siebten Himmel wäre 5. als ob er tablettenabhängig wäre 6. als ob Sie von nichts wüßten 7. als ob er keine Manieren hätte 8. als ob sie tot wäre 9. als ob Sie das zum ersten Mal machen würden 10. als ob es um sein Leben ginge 11. als ob es gestern gewesen wäre

1. als wäre er der Kaiser von China 2. als hätte sie es selbst erlebt 3. als fielen die Goldpreise 4. als wäre ich im siebten Himmel 5. als wäre er tablettenabhängig 6. als wüßten Sie von nichts 7. als hätte er keine Manieren 8. als wäre sie tot 9. als würden Sie das zum ersten Mal machen 10. als ginge es um sein Leben 11. als wäre es gestern gewesen

42

1. Wenn er zurückgetreten wäre, so hätte das eine Lawine ausgelöst. 2. Wenn die Regierung gestürzt worden wäre, so hätte das den Krieg verhindert. 3. Wenn der Gast in einer Pension untergebracht worden wäre, so wäre das billiger gewesen. 4. Wenn sie rechtzeitig geimpft worden wäre, so hätte ihr das eine Kinderlähmung erspart. 5. Wenn die diplomatischen Beziehungen abgebrochen worden wären, so wäre das eine unangemessene Reaktion gewesen. 6. Wenn die Arbeiter in den Betrieben gestreikt hätten, so hätte das die Regierung unter Druck gesetzt. 7. Wenn die Preiserhöhungen zurückgenommen worden wären, so wäre das auf die Demonstrationen zurückzuführen gewesen. 8. Wenn unsere Firma umgezogen wäre, so wäre das mit hohen Kosten verbunden gewesen. 9. Wenn die Gespräche gescheitert wären, so hätte das eine Verschärfung der Situation bedeutet.

43

1. Fast hätte er sich mit dem Messer geschnitten. 2. Fast wäre die Milch auf dem Herd übergekocht. 3. Fast hätte die Gardine Feuer gefangen. 4. Fast wärst du in einen Hundehaufen getreten. 5. Fast hätte ich die Schachpartie verloren. 6. Fast wäre sie in den Abgrund gefallen. 7. Fast wäre ich in den falschen Zug gestiegen. 8. Fast hätte er das große Los gezogen. 9. Fast wäre er im Fluß ertrunken. 10. Fast hätte man den Dieb geschnappt.

44

1. An seiner Stelle käme ich pünktlicher. 2. An seiner Stelle nähme ich mir öfter mal Zeit für die Familie. 3. An seiner Stelle brächte ich meiner Frau öfter mal Blumen mit. 4. An seiner Stelle wäre ich geduldiger. 5. An seiner Stelle gäbe ich meinen Kindern Taschengeld. 6. An seiner Stelle würde ich jemand um Rat bitten. (bäte) 7. An seiner Stelle ginge ich vor Mitternacht zu Bett. 8. An seiner Stelle würde ich öfter mal Bekannte einladen. (lüde ... ein) 9. An seiner Stelle würde ich ihren Geburtstag nicht vergessen. (vergäße) 10. An seiner Stelle würde ich nicht jeden Abend vor dem Fernseher sitzen. (säße) 11. An ihrer Stelle ließe ich mich nicht scheiden.

45

1. Bei einer regelmäßigen Einnahme von Schlaftabletten könnte man unter Umständen süchtig werden. 2. Bei Nichtgefallen könnte man unter Umständen das Geschenk umtauschen. 3. Bei einer Streichung des Fluges könnte man unter Umständen den Flugpreis erstattet bekommen. 4. Bei einer Bohrung in den Schacht könnte man unter Umständen die verschütteten Bergleute retten. 5. Bei einer Auslastung der Produktionskapazität könnte man unter Umständen den Liefertermin einhalten. 6. Bei verringertem Kohlendioxydausstoß könnte man unter Umständen den Treibhauseffekt vermindern. 7. Bei einem Hundebiß könnte man unter Umständen eine Blutvergiftung bekommen. 8. Bei einem Einspruch gegen den Bußgeldbescheid könnte unter Umständen von einer Geldstrafe abgesehen werden.

1. Wenn man regelmäßig Schlaftabletten einnimmt, könnte man unter Umständen süchtig werden. 2. Wenn das Geschenk nicht gefällt, könnte man es unter Umständen umtauschen. 3. Wenn der Flug gestrichen wird, könnte man unter Umständen den Flugpreis erstattet bekommen. 4. Wenn in den Schacht gebohrt würde, könnte man unter Umständen die verschütteten Bergleute retten. 5. Wenn die Produktionskapazität ausgelastet wäre, könnte man unter Umständen den Liefertermin einhalten. 6. Wenn der Kohlendioxydausstoß verringert würde, könnte man unter Umständen den Treibhauseffekt vermindern. 7. Wenn man von einem Hund gebissen wird, könnte man unter Umständen eine Blutvergiftung bekommen. 8. Wenn man gegen den Bußgeldbescheid Einspruch erheben würde, könnte unter Umständen von einer Geldstrafe abgesehen werden.

46

Ich mag knuspriges Stangenbrot mit gesalzener Butter und französischem Käse. Dazu eine kleine Flasche trockenen Rotwein. Auch knackigen Salat natürlich, z. B. einen griechischen Bauernsalat. Frisches Obst und ein paar grüne und schwarze Oliven aus dem sonnigen Süden dürfen nicht fehlen. Und nette Leute mit guter Laune, die all die leckeren Dinge mit mir teilen.

Er schließt den Brief mit herzlichen Grüßen, mit seinen besten Grüßen, mit einem lieben Gruß, mit freundlichem Gruß, mit all seinen besten Grüßen, mit freundlichen Grüßen. Er sendet ihr beste Grüße, viele liebe Grüße, einen ganz herzlichen Gruß, freundliche Grüße.

Grammatische Regeln sind oft kompliziert. Aber ich übe komplizierte Regeln, diese besonders komplizierte Regel, einige komplizierte Regeln, jene komplizierte Regel, alle komplizierten Regeln. Komplizierte Regeln sind schwer zu verstehen. Bei einigen komplizierten Regeln mache ich Fehler.

Dunkel mag ich lieber als hell. Ich mag dunkle Augen und dunkles Haar, aber trinke lieber helles Bier als dunkles. Menschen mit dunkler Hautfarbe finde ich meist interessanter als die meisten hellen Typen. Dunkle Gassen sind gemütlicher als die hellen Straßen. Dunkle Kleidung ist vornehmer als helle, darum trage ich keine hellen Anzüge.

Freunde kann man sich aussuchen, Verwandte nicht. Einer meiner Verwandten trinkt, ein anderer Verwandter ist immer pleite, und eine Verwandte kriegt ein uneheliches Kind. Nur ganz wenige meiner Verwandten besuchen mich gelegentlich, aber alle Verwandten wollen mich beerben. Aber von mir kriegt kein einziger Verwandter was!

47

Amnesty International hilft politischen Gefangenen. Die Organisation steht manchem Gefangenen bei. Viele Gefangene brauchen Hilfe, besonders solche Gefangene, die gefoltert wurden. Politische Gefangene brauchen unsere besondere Aufmerksamkeit.

Er mißtraut allen Alten. Sie schmeichelt ihrem Vorgesetzten. Er sieht meinem Bekannten ähnlich. Der Chef dankt seinen Angestellten, jenem Betriebsangehörigen, keinem seiner Untergebenen, allen Beamten, mehreren Auszubildenden.

Ich kenne diesen Fremden, einen Verrückten, den Toten, jenen Geistlichen, alle Abgeordneten, nur Intellektuelle, all meine Verwandten, unseren Vorsitzenden, deine ganzen Bekannten, viele Arbeitslose.

Wir trauern um den Toten. Sie suchen nach vielen Vermißten, etlichen Verschollenen. Ein Schiffbrüchiger wurde lebend geborgen. Es gab viele Gefallene und Verletzte. Einige Verwundete erlagen ihren Verletzungen. Sie gedachten der Verstorbenen.

48

1. Jemand, der etwas vorträgt, ist ein Vortragender. 2. Jemand, der überlebt, ist ein Überlebender. 3. Jemand, der Dienst hat, ist ein Diensthabender. 4. Jemand, der anders denkt, ist ein Andersdenkender. 5. Jemand, der eine Stellung sucht, ist ein Stellungssuchender. 6. Jemand, der an etwas mitwirkt, ist ein Mitwirkender. 7. Jemand, der allein steht, ist ein Alleinstehender. 8. Jemand, der streikt, ist ein Streikender. 9. Jemand, der betrunken ist, ist ein Betrunkener. 10. Jemand, der verstorben ist, ist ein Verstorbener. 11. Jemand, der gefangen ist, ist ein Gefangener. 12. Jemand, der geisteskrank ist, ist ein Geisteskranker. 13. Jemand, der erwachsen ist, ist ein Erwachsener. 14. Jemand, der reist, ist ein Reisender. 15. Jemand, der fortgeschritten ist, ist ein Fortgeschrittener.

49

1. Der Kaufmann brachte dem Kunden die Waren. Der Kaufmann hat dem Kunden die Waren gebracht. 2. Die Polizeibehörde sandte dem Autofahrer einen Bußgeldbescheid. Die Polizeibehörde hat dem Autofahrer einen Bußgeldbescheid gesandt. 3. Der Taschendieb entwendete der Dame die Handtasche. Der Taschendieb hat der Dame die Handtasche entwendet. 4. Der Besucher nannte dem Portier seinen Namen. Der Besucher hat dem Portier seinen Namen genannt. 5. Der Forscher kannte das Geheimnis der Pyramide. Der Forscher hat das Geheimnis der Pyramide gekannt. 6. Der Politiker beantwortete die Frage des Journalisten. Der Politiker hat die Frage des Journalisten beantwortet. 7. Der Vorgesetzte dankte allen Angestellten der Firma. Der Vorgesetzte hat allen Angestellten der Firma gedankt. 8. Die Aufführung mißfiel den Besuchern der Oper. Die Aufführung hat den Besuchern der Oper mißfallen. 9. Der Reisende hörte der Auskunft des Bahnbeamten gut zu. Der Reisende hat der Auskunft des Bahnbeamten gut zugehört. 10. Der Personalchef kündigte einem Kranken in unserer Abteilung. Der Personalchef hat einem Kranken in unserer Abteilung gekündigt. 11. Der Zigarettenrauch schadete allen Mitarbei-

tern des Großraumbüros. Der Zigarettenrauch hat allen Mitarbeitern des Großraumbüros geschadet. 12. Der Name seines Bekannten fiel ihm nicht ein. Der Name seines Bekannten ist ihm nicht eingefallen. 13. Der Richter verdächtigte den Angeklagten der Falschaussage. Der Richter hat den Angeklagten der Falschaussage ver-
dächtigt. 14. Der Verletzte bedurfte der Hilfe eines Arztes. Der Verletzte hat der Hilfe
eines Arztes bedurft. 15. Der Detektiv folgte der Spur des Verdächtigen. Der Detektiv ist der Spur des Verdächtigen gefolgt.

50

Das Buch gehört mir (D). Er bleibt ein armer Schlucker (N). Sie trinkt die Milch (A) aus.
Er antwortet ihm (D). Geld allein dient mir (D) nicht. Der Versuch ist ihm (D) mißlun-
gen. Ich rufe dich (A) an. Der Dieb entkam der Polizei (D). Er ist ein Dummkopf (N).
Man drohte ihm (D) mit Bestrafung. Der erste Versuch ist mir (D) geglückt. Die Suppe
schmeckt ihr (D) nicht. Ich ziehe die Schuhe (A) an. Er gedachte der Opfer (G). Er er-
freute sich ihres Anblicks (G). Es bedarf eines neuen Versuchs (G). Ihnen (D) pas-
sierte ein Unglück. Unser Lehrer heißt Herr (N) Müller. Sie blickt ihm (D) nach. Das
entspricht meinen Erwartungen (D). Ich koche das Wasser (A). Er begegnete mir (D).
Sie eifert ihrem Idol (D) nach. Widersprich mir (D) nicht! Schau ihm (D) zu! Die
Freunde standen ihm (D) bei. Er wirft das Handtuch (A). Die Indianer folgten ihrem
Häuptling (D). Er gehorcht seinem Vater (D).

S. 137ff. Zwischentest Lektionen 1–3

1
1. sind ... gestiegen 2. erhöht 3. um 8 % zurückgegangen ist 4. ist ... von 1,98 DM
auf 1,87 DM gefallen 5. hat ... zugenommen

2
1. Da liegt ja der gesuchte Schlüssel! 2. Das Essen im Restaurant war vielleicht
teuer! 3. Macht nichts, der aufgebrochene Tresor war sowieso leer. 4. Mach bloß
keine Schulden! 5. Sie wird wohl krank sein. 6. Kannst du mir eben mal das Salz reichen? 7. Hat er etwa keine Freundin? 8. Männer vertragen eben doch mehr Alkohol
als Frauen.

3
1. Kindheitserinnerung 2. Wohnungsmiete 3. Geschwindigkeitsbegrenzung
4. Wehrdienstverweigerer 5. Meinungsumfrage 6. Buchhandlung 7. Sprachkurs
8. Bevölkerungsdichte 9. Zeitungsartikel 10. Umweltverschmutzung

4
1. um einen passenden Partner/eine passende Partnerin zu finden
2. weil er/sie einen passenden Partner/eine passende Partnerin finden möchte
3. er/sie möchte einen passenden Partner/eine passende Partnerin finden
4. Deshalb (auch: Darum, Deswegen, Daher, Aus diesem Grund, Also)
5. einen passenden Partner/eine passende Partnerin (auch: nach einem passen-
   den/nach einer passenden)
6. durch eine Heiratsanzeige einen passenden Partner/eine passende Partnerin finden

7. Sie/Er möchte nämlich einen passenden Partner/eine passende Partnerin finden
8. In Heiratsanzeigen sucht eine Frau/ein Mann

5
1. werde 2. könne 3. würden 4. werde 5. seien 6. sei 7. könne 8. hätten

6
1. Wenn ich doch (bloß) in Ruhe meine Zeitung lesen könnte!
2. Wenn meine Frau doch (bloß) weniger reden würde!
3. Wenn er doch (bloß) nicht jeden Abend (abends immer) vor dem Fernseher sitzen würde (säße)!
4. Wenn ich das doch (bloß) vor der Hochzeit gewußt hätte!
5. Wenn sie mir doch (bloß) nicht immer meinen Walkman wegnehmen würde (wegnähme)!
6. Wenn man mich doch (bloß) in Ruhe lassen würde (ließe)!
7. Wenn unsere Eltern doch (bloß) nicht so altmodisch wären!
8. Wenn die Zeit doch (bloß) nicht so schnell vergangen wäre!

Reihe IV: Naturwissenschaft und Technik

Auf Cassette wurden folgende Texte und Übungen aufgenommen:

Hören und verstehen: Zahlen (S. 142)*
Hören und verstehen: Zahlen und Maßangaben (S. 143)*
Hören und verstehen: Rechnen (S. 144)*
Übung: Nomen (S. 145)
Technik und Fortschritt (S. 145–148)
Diktat: *Das Deutsche Museum in München* (S. 149)
Rechenexempel (S. 152)
Unbekanntes Flugobjekt (S. 157/158)

S. 142

Schreiben Sie die Zahlen aus
zwölf, siebenunddreißig, sechsundzwanzig, sechzehn, sechsundsechzig, sieben-
hundertsiebenundsiebzig, sechshundertsechsunddreißig, (ein)hunderteins, sechs-
tausendfünfhundertdreiundvierzig

S. 143

Setzen Sie die Präposition ein
Um 10 zu erhalten, kann man:

6 zu 4 zuzählen	50 durch 5 teilen
5 von 15 abziehen	20 durch 2 dividieren
5 mit 2 malnehmen	2 mit 5 multiplizieren

Hören und verstehen

1 ½ Pfund (Pfd.); 750 Gramm (g); 0,75 Kilo(gramm) (kg); 97 Pfennig (Pf); DM 61,98;
Viertel nach sieben (7.15 Uhr oder 19.15 Uhr); 1,68 Meter (m); 235 Quadratmeter
(qm, m²); 600 vor Christi Geburt (v. Chr.); −32 Grad (− 32 °C); 954 Kubikmeter (m³);
der 20.8.1961; fünf vor halb acht (7.25 Uhr oder 19.25 Uhr); DM 765,28; zehn nach
halb zwölf (11.40 Uhr oder 23.40 Uhr); 13579; DM 624,89; 1.234.567; meine Bank-
verbindung: Kto.-Nr. 83273773; meine Telefon-Nr. ist 532383 (Vorwahl 089)

Lesen und verstehen
1. ABC; 2. z. B. Tas-se; 3. z. B. 1234; 4. IV; 5. 012345; 6. z. B. 0,245; 7. z. B. 3/4;
8. Es beginnt mit „A"; 9. Es beginnt mit Alpha; 10. z. B. 2 und 3; 11. 33. v. Chr.

Denksportaufgabe
Man addiert 1 + 99, 2 + 98, 3 + 97, 4 + 96 usw. Die Summe ergibt jedesmal 100. Dies
kann man 49 mal machen (bis 49 + 51 = 100). Nun addiert man noch die fehlende
50 und die fehlende 100. Das richtige Ergebnis ist 5050.

---

* Sollten Ihnen die Pausen zu kurz erscheinen, stoppen Sie bitte das Band. Das gilt für alle
Übungen mit Pausen.

Synonyme

1. Ich ziehe vier von sieben ab. 2. Man muß drei mit vier malnehmen. 3. Zählen Sie zwölf und zehn zusammen. 4. Teilen Sie zehn durch fünf. 5. Zehn weniger drei ist sieben. 6. Acht mal fünf ist vierzig. 7. Neun geteilt durch drei ist drei. 8. Sechs und drei sind neun. (gleich = sind = macht = ist = ergibt)

Gedanken lesen

Nein, die gedachte Zahl wurde nur scheinbar erraten. Sie wurde verdoppelt und halbiert und anschließend wieder abgezogen. Dadurch bleibt nur die Hälfte der zugezählten Zahl (hier 5) übrig.

Lesen Sie die fehlenden Rechenzeichen mit

3 mal 3 gleich 9; 1 plus 2 gleich 3; 9 weniger 7 gleich 2; 16 (geteilt) durch 8 gleich 2; 3 mal 3 weniger 3 gleich 6; 8 durch 2 weniger 4 gleich 0; 1 plus 1 minus 1 gleich 1

Hören und Verstehen

1. Wieviel ist 4,6 plus 5,4?
2. Subtrahieren Sie 20 von 40!
3. Teilen Sie bitte 90 durch 3!
4. Was macht 4 mal 10?
5. Was ist 4 zum Quadrat?
6. Was ist die Summe von 78 und 2?
7. Was ist die Wurzel aus 36?
8. Ziehen Sie 90 von 100 ab!
9. Wieviel ist a mal a?
10. Multiplizieren Sie 7 mit 9!
11. Addieren Sie 16 und 14!
12. Was macht 14 weniger 4?
13. Wieviel ist 3 mal 10 durch 5?
14. Wieviel ist 6 weniger 2 mal 4?
15. Rechnen Sie 3 hoch 3!
16. Nehmen Sie 6,6 mit 10 mal!
17. Was ist die Differenz von 3,5 und 0,5?
18. Dividieren Sie 50 durch 5!
19. Ein Faktor ist 6, ein Faktor ist 4. Was ist das Ergebnis?
20. Was ist das Produkt von 4 und 6?
21. Runden Sie auf: 0,255.
22. Runden Sie ab: 1,854.
23. Was ist die Hälfte von 26?
24. Was ist das Doppelte von 5,5?

Lösungen:

1.	10	9.	a Quadrat (a^2)	17.	3
2.	20	10.	63	18.	10
3.	30	11.	30	19.	24
4.	40	12.	10	20.	24
5.	16	13.	6	21.	0,26
6.	80	14.	16 oder -2	22.	1,85
7.	6	15.	27	23.	13
8.	10	16.	66	24.	11

Vokabeltest

das Vorzeichen, -; der Faktor, -en; das Produkt, -e; die Zahl, -en; die Ziffer, -n; die Nummer, -n; das Ergebnis, -se; der/das Teil, -e; der Bruch, ¨-e; die Hälfte, -n; das Drittel, -; das Viertel, -; die Differenz, -en; die Summe, -n; der Betrag, ¨-e; die Lösung, -en; die Aufgabe, -n; der Zähler, -; der Nenner, -; die Rechnung, -en; das Beispiel, -e; der Bruchstrich, -e; die Probe, -n

Zusätzliche Übungen: *Synonyme*
Kennen Sie die lateinischen Bezeichnungen?

+ und	plus
− weniger	minus
× mal	multipliziert mit
: geteilt durch	dividiert durch

Kennen Sie die deutschen Bezeichnungen?

addieren	zuzählen
subtrahieren	abziehen
multiplizieren	malnehmen
dividieren	teilen

Wie heißen die Nomen?

addieren	die Addition
subtrahieren	die Subtraktion
multiplizieren	die Multiplikation
dividieren	die Division

Definitionen
Was sind ...?
Primzahlen: Zahlen, die nur durch 1 und sich selbst teilbar sind, z. B. 3; 5; 7; 11; 13.
gerade Zahlen: Zahlen, die man durch 2 teilen kann, z. B. 2; 4; 6; 8.
ganze Zahlen: Zahlen, die kein Komma oder keinen Bruchstrich bei sich haben, z. B. 1; 2; 3.
Dezimalzahlen: Zahlen, die man durch einen Bruch ausdrücken kann und die ein Komma bei sich haben, z. B. 1,05.

S. 149

Funktionsverbgefüge
I.
anfing; glauben; verbunden; sich erfüllen; einsehen; hängen mehr und mehr von ... ab (werden abhängig von); hängt zusammen mit; irrt sich; diskutiert werden; bedeutet mehr als; zu entscheiden; bestrafen; überzeugt; bemühen sich; helfen; widerspricht der eigenen

II.
vor Augen führen; in Kauf nehmen; außer acht lassen; in Verbindung bringen; auf Kritik stoßen; zum Opfer fallen; in Sicht sein; in Vergessenheit geraten; in der Lage sein; zu Ende gehen; im Begriff sein; zur Rechenschaft ziehen; in Kraft sein; Abschied nehmen; Bilanz ziehen; seinen Preis haben; außer Betracht bleiben; Gefahr laufen; zur Konsequenz haben; in Rückstand geraten

III.
in Gang kommen; zum Stillstand kommen; zum Schluß kommen; zur Sprache kommen; zum Ergebnis kommen; zu Wohlstand kommen; zur Verfügung stehen; am Anfang stehen; in Einklang stehen; unter Druck stehen; in Aussicht stellen; in Frage stellen

Zum Problem der **Funktionsverbgefüge** (feste Verbindungen, Streckformen) siehe: Schulz/Griesbach, S. 323ff.; Helbig/Buscha, S. 79ff.; Erben, S. 74f.; Duden S. 437f.; Dreyer-Schmitt, Neubearbeitung S. 290ff.

Zusatzübungen
I. *Lassen Sie den „bürokratischen" Stil durch ein anderes Verb vereinfachen.*
1. Die Sache wird zur Sprache gebracht. (besprochen)
2. Das Fahrzeug wird zum Halten gebracht. (angehalten)
3. Das Theaterstück wird zur Aufführung gebracht. (aufgeführt)
4. Er gab keine Antwort. (antwortete nicht)
5. Er gibt den Befehl zum Angriff. (befiehlt den Angriff)
6. Sie geben uns so schnell wie möglich Nachricht. (benachrichtigen)
7. Sie gab mir ihr Versprechen zur Ehe. (versprach mir die Ehe)
8. Er gibt mir nicht die Erlaubnis dazu. (erlaubt es mir nicht)

II. *Welches Verb fehlt?*
1. protokollieren – ein Protokoll (führen)
2. mitteilen – eine Mitteilung (machen)
3. anbrennen – in Brand (setzen)
4. beachtet werden – Beachtung (finden)
5. sich wehren – sich zur Wehr (setzen)
6. beantragen – einen Antrag (stellen)
7. vereinbaren – eine Vereinbarung (treffen)
8. fragen – eine Frage (stellen)

III. *Finden Sie eine Fügung mit „leisten":*
ersetzen (Ersatz), zahlen (eine Zahlung), beeiden (einen Eid), folgen (Folge), gehorchen (Gehorsam), helfen (Hilfe)

IV. *Finden Sie eine Fügung mit „stellen":*
beantragen (einen Antrag), berechnen (in Rechnung), fordern (eine Forderung), fragen (eine Frage)

V. *Finden Sie eine Fügung mit „nehmen":*
baden (ein Bad), sich rächen (Rache), beschützen (in Schutz), sich entwickeln (eine Entwicklung), beanspruchen (in Anspruch), sich verabschieden (Abschied)

S. 151

Redewendungen
vom *Hundertsten ins Tausendste kommen:* sich in Details verlieren, sich verzetteln (besonders beim Reden)
einmal ist keinmal: Es ist nicht schlimm, wenn man nur einmal etwas Dummes macht.
doppelt (genäht) hält besser: Wer etwas zweifach absichert, tut es besser und geht weniger Risiko ein.
aller guten Dinge sind drei: Wer etwas dreifach tut, tut es am besten und rundet es ab.
in Null Komma nichts: im Nu, sehr schnell, plötzlich
unter vier Augen: zu zweit (z. B. vertraulich reden)

null Bock haben: keine Lust haben
jetzt schlägt's dreizehn: Das ist aber ein Ding! So was Unmögliches ist mir noch nicht passiert! Jetzt reicht's!
auf einem Bein kann man nicht stehen: einmal ist keinmal (z. B. wenn man ein Glas Schnaps getrunken hat und ein zweites möchte)

Vokabeltest

1. Temperatur	4. Stunden	7. Geschwindigkeit
2. Grad	5. Volumen, Kubikmetern	8. Widerstand
3. Metern	6. Druck	9. Leistung

S. 152

Bilden Sie Sätze
1. Je mehr Quadratmeter, desto größer die Fläche. 2. Je mehr Kilometer pro Stunde, desto höher die Geschwindigkeit. 3. Je mehr Volt, desto größer die Spannung. 4. Je mehr Ampere, desto größer die Stromstärke. 5. Je mehr Meter, desto größer die Länge. 6. Je mehr Lichtjahre, desto größer die Entfernung. 7. Je mehr Kubikmeter, desto größer der Rauminhalt.

Wiederholen Sie die Übung mit „weniger" einerseits und „niedriger", „geringer" oder „kleiner" andererseits.

Vgl. zu **je ... desto:** Duden, S. 576; Helbig/Buscha, S. 417; Schulz/Griesbach, S. 298; Dreyer/Schmitt, S. 145f.

Vokabeltest

die Chemie	der Chemiker	chemisch
die Physik	der Physiker	physikalisch
die Biologie	der Biologe	biologisch
die Musik	der Musiker	musikalisch
die Medizin	der Mediziner	medizinisch
die Geographie	der Geograph	geographisch
die Astronomie	der Astronom	astronomisch
die Philosophie	der Philosoph	philosophisch
die Ökonomie	der Ökonom	ökonomisch
die Mathematik	der Mathematiker	mathematisch
die Technik	der Techniker	technisch

S. 153

Bilden Sie Sätze mit „je ... desto/um so"
1. Je mehr (weniger) Arbeitsplätze, desto weniger (mehr) Arbeitslose.
2. Je mehr (weniger) Autos, desto dichter (geringer) der Verkehr.
3. Je größer (kleiner) der Radius, desto größer (kleiner) der Umfang.
4. Je höher (niedriger) die Geschwindigkeit, desto länger (kürzer) der Bremsweg.
5. Je höher (niedriger) die Temperatur, desto geringer (höher) die Heizkosten.
6. Je stärker (schwächer) die Inflation, desto höher (niedriger) die Preise.
7. Je besser (schlechter) die Wohnlage, desto höher (niedriger) die Miete.

8. Je mehr (weniger) Zeit, desto weniger (mehr) Geld.
9. Je mehr (weniger) Ärzte, desto besser (schlechter) die medizinische Versorgung.
10. Je mehr (weniger) Studenten, desto mehr (weniger) Akademiker.
11. Je größer (geringer) die Trockenheit, desto geringer (größer) die Ernte.
12. Je mehr (weniger) deutsche Grammatik, desto langweiliger (weniger langweilig) der Unterricht.

Wie heißen die Nomen?
die Zunahme, der Anstieg, die Verstärkung, die Vergrößerung, die Vermehrung, die Steigerung, der (Ab)fall, die Verringerung, die Verkleinerung, die Verminderung, die (Ab)schwächung, die Abnahme, die Senkung, das (Ab)sinken

Welche Verben fehlen?
1. fallen 2. senken (verringern, vermindern) 3. schwächt 4. nimmt 5. abgenommen
6. vergrößern 7. vermehren 8. nimmt 9. vergrößern

S. 154

Was ist der Unterschied zwischen ...?
Steigern und *senken* sind transitive oder reflexive Verben.
Beispiele: Wir steigern das Bruttosozialprodukt.
           Das Bruttosozialprodukt steigert sich.
           Wir senken den Stromverbrauch.
           Der Stromverbrauch senkt sich.
Steigen und *sinken* werden intransitiv benutzt.
Beispiele: Das Bruttosozialprodukt steigt.
           Der Stromverbrauch sinkt.

Wie heißt das Gegenteil?
die Zunahme, die Verkleinerung, die Verminderung, die Verstärkung

Bilden Sie einen neuen Satz
1. Das Einkommen der Beamten sinkt (wird gesenkt).
2. Die Miete erhöht sich (wird erhöht).
3. Die Zahl der Wochenarbeitsstunden vermindert sich (wird vermindert).
4. Die Zahl der Verkehrstoten verringert sich (wird durch den Gurt verringert).
5. Der Verdacht des Kommissars verstärkt sich (wird verstärkt).
6. Der Bestand unseres Lagers verkleinert sich (wird verkleinert).
7. Die Produktion steigert sich um 40 % (wird ... gesteigert).

S. 155

Bilden Sie Sätze mit „je ... desto"
1. Je geringer die Reibung, desto höher die Geschwindigkeit.
2. Je höher der Widerstand, desto geringer die Stromstärke.
3. Je größer das Foto, desto geringer die Schärfe.
4. Je niedriger das Gewicht, desto geringer das Infarktrisiko.

5. Je höher die Temperatur, desto größer das Volumen.
6. Je mehr Menschen es gibt, desto mehr Hunger gibt es.

Beschreiben Sie das Atommodell
Auf dem Bild sehen wir das Modell eines Atoms. Im Zentrum sehen wir den Atomkern, der aus Protonen und Neutronen besteht. Der Atomkern wird von sehr schnellen Elektronen umkreist. Diese Elektronen bilden die Atomhülle.

Silbenrätsel
der Sauerstoff, der Stickstoff, der Schwefel, das Eisen, der Wasserstoff, das Kupfer, das Silber, das Quecksilber

S. 156

Materialien
1g, 2m, 3k, 4i, 5a, 6b, 7n, 8c, 9l, 10o, 11j, 12d, 13f, 14e, 15h, 16p

Finden Sie Unterbegriffe
Metalle: Gold, Silber, Eisen, Kupfer, Messing, Stahl, Zink, Zinn
Gase: Helium, Wasserstoff, Stickstoff, Krypton, Kohlendioxyd
Rohstoffe: Holz, Eisen, Kautschuk, Öl, Kohle, Baumwolle

Aggregatszustände
flüssig, verdunstet; fest, gefriert; gasförmig, verdampft

Denksportaufgaben
1. 10-$-Goldstücke sind kleiner und haben weniger Gold als 20-$-Goldstücke. Zwei Kilo davon sind aber in jedem Fall mehr wert als nur ein Kilo 20-$-Goldstücke.
2. Das Haus steht direkt auf dem Nordpol. Ein Eisbär läuft daran vorbei. Er ist weiß.
3. Probieren Sie's aus.

Zusätzliche Rechenaufgaben
1. 6 Paar Socken kosten 20 Mark. Wieviel kosten 10 Paar Socken?
2. 4 Arbeiter bauen an einer Mauer 6 Tage. Wie lange würden 7 Arbeiter an derselben Mauer bauen?
3. Eine Köchin kocht ein Mittagessen in einer halben Stunde. Wie lange brauchen 10 Köchinnen, um 2 Essen zu kochen?

S. 157

Wie heißt das Gegenteil?
1. stumpf 2. spitz 3. steil 4. rund 5. dünn 6. hohl 7. krumm

Finden Sie die richtige Reihenfolge
1. eiskalt – kalt – kühl – mild – lauwarm – warm – heiß
2. naß – feucht – schwül – trocken
3. jetzt – sofort – gleich – bald – demnächst – später – nie
4. niemals – selten – manchmal – öfters – oft – immer

S. 159

Zu den **trennbar oder untrennbar** vorkommenden Verbteilen *durch-, hinter-, über-, um-, unter-, wider-* vergleichen Sie: Helbig/Buscha, S. 224f.; Schulz/Griesbach, S. 30f.

Bilden Sie das Passiv mit untrennbaren Verben
1. Die Rede wird übersetzt.
2. Die Schlucht wird überbrückt.
3. Die Bank wird überfallen.
4. Das Lösegeld wird übergeben.
5. Das Volk wird unterdrückt.
6. Die Geschichte wird übertrieben.
7. Die Wüste wird durchquert.
8. Die Situation wird überblickt.
9. Der Geldbetrag wird überwiesen.

Bilden Sie Sätze im Perfekt mit trennbaren Verben
1. Er ist aus der Sackgasse umgekehrt.
2. Das Römische Reich ist untergegangen.
3. Die Ansichten haben übereingestimmt.
4. Die Kriminalität hat überhandgenommen.
5. Sie hat die Ware umgetauscht.
6. Man hat die Kontrolle durchgeführt.
7. Man hat sich unter seine Autorität untergeordnet.

Was paßt zusammen? Bilden Sie Sätze
unterbrechen – Radiosendung
Man hat die Radiosendung unterbrochen.

unterkommen – billige Pension
Wir sind in einer billigen Pension untergekommen.

untergehen – Sonne
Die Sonne ist untergegangen.

unterstellen – Schuld am Unfall
Der Richter unterstellt dem betrunkenen Fahrer die Schuld am Unfall.

untersagen – Betreten der Baustelle
Das Betreten der Baustelle ist strengstens untersagt.

unterstreichen – Bedeutung
Ich möchte die Bedeutung dieser Entdeckung unterstreichen.

überlaufen – Feind
Er ist zum Feind übergelaufen.

übersehen – Fehler
Der Lehrer hat einen Fehler übersehen.

übertreffen – Weltrekord
Er hat den Weltrekord im Hochsprung übertroffen (besser: überboten).

überwachen – Instrumente
Alle Instrumente im Flugzeug werden überwacht.

umbringen – Geiseln
Die Geiseln wurden von den Terroristen umgebracht.

umgraben – Garten
Der Garten wird im Herbst umgegraben.

umrühren – Suppe
Rühr die Suppe um, damit sie nicht anbrennt!

umsteigen – Intercity
Du mußt in Köln in den Intercity umsteigen!

umwenden – Bratwürste
Die Bratwürste auf dem Grill werden umgewendet.

durchfallen – Prüfung
Er ist bei der Prüfung durchgefallen.

durchkreuzen – Pläne
Das Wetter durchkreuzt unsere Reisepläne.

durchsuchen – Gepäck
Unser Gepäck wird an der Grenze durchsucht.

durchmachen – Silvester
An Silvester machen wir selbstverständlich die Nacht durch!

S. 160

Trennbar oder untrennbar?
1. unter/bringen, unterbrechen, unter/gehen, unter/kommen, sich unter/ordnen, untersagen, sich unter/stellen, jemandem etwas unterstellen, unterstreichen, unter/tauchen
2. sich überanstrengen, überblicken, übereilen, überein/stimmen mit, überhand/nehmen, über/laufen, über/siedeln (auch: übersiedeln), überweisen, übertreffen, überwachen, überzeugen
3. um/bringen, umfassen, um/graben, um/kehren, um/kommen, um/rühren, um/zingeln, um/tauschen, sich um/sehen, umrahmen, um/steigen, umgeben, um/hüllen, um/wenden.
4. durch/fallen, durch/führen, durch/halten, durchkreuzen, durch/greifen, durch/lesen, durchqueren, durchsuchen, durch/streichen, durch/wühlen, (oder: durchwühlen), durch/machen

Stammtisch: *Hören, verstehen, argumentieren*
1. Meine Tochter will mal Elektrotechnik studieren. Das ist doch nichts für eine Frau. Die soll Kindergärtnerin werden.
2. Mein Sohn meint, die Technik ist bald so weit, daß wir gar nicht mehr arbeiten müssen. Das machen dann die Roboter für uns, und wir können uns auf die faule Haut legen.

3. Man sollte die ganzen Computer und Roboter und so'n Teufelskram mit 'm Hammer kaputthauen. Das Zeug macht uns alle noch arbeitslos.
4. Mein Kleiner hat in der Schule gelernt, das Weltall sei begrenzt, so'n Quatsch. Was kommt denn dahinter, wenn man mal den Kopf durch die Mauer steckt? Das kann doch nicht einfach aufhören?
5. Daß die Amis auf'm Mond gelandet sind, kann man mir doch nicht weismachen. Das ist wieder mal so 'n Propagandatrick. Was die im Fernsehen gezeigt haben, das ist doch kein Beweis. Das sieht man doch auch in Science-fiction-Filmen.

Zustand oder Entwicklung
1. Oxygenium heißt auch Sauerstoff.
2. Wasser verwandelt sich bei 100 Grad Celsius zu Wasserdampf.
3. Leistung ist als Arbeit durch Zeit definiert.
4. Einen festen Körper bezeichnet man als Festkörper.
5. Neon, Helium und Krypton werden Edelgase genannt.
6. Reibung erzeugt Wärme.
7. Aus Kohle entsteht im Kohlekraftwerk Elektrizität.
8. Bei Diesel- und Ottomotoren spricht man von Verbrennungsmotoren.
9. Silber und Gold werden als Edelmetalle bezeichnet.

S. 161

Vervollständigen Sie die Reihe
3, 6, 9, 12 (Es wird immer 3 addiert.)
18, 14, 10, 6 (Es wird immer 4 subtrahiert.)
2, 4, 8, 16 (Die Zahlen werden verdoppelt.)
16, 8, 24, 12, 36, 18, 54 (Es wird durch 2 dividiert und dann mit 3 multipliziert.)
81, 64, 49, 36, 25, 16 (Quadratzahlen rückwärts.)
Kreis, Sechseck, Fünfeck, Viereck, Dreieck

Denksportaufgabe
Mit diesem imaginären Superfernrohr müßte man tatsächlich in die Vergangenheit blicken können. Da das Licht langsamer als die Reisegeschwindigkeit wäre (was undenkbar ist), könnte man so das Vergangene sehen, in unserem Beispiel also den Zweiten Weltkrieg. Wir sehen bekanntlich auch Sterne am Himmel, von denen wir wissen, daß sie in Wirklichkeit nicht mehr existieren – aber erst jetzt erreicht uns ihr Licht.

An welche Zahl denken Sie? Warum?
Dies ist eine Aufgabe mit freien Assoziationen, auch andere Lösungen sind möglich:

ein Kilo: 1000 – Ein Kilo hat 1000 Gramm.
Erster Weltkrieg: 1914 – Im Jahr 1914 brach der Erste Weltkrieg aus.
Geburtstag 22.3.1950 – Ich wurde am 22.3.1950 geboren.
kochendes Wasser: 100 – Wasser kocht normalerweise bei 100 Grad Celsius
Bundesländer: 16 – In der Bundesrepublik gibt es 16 Bundesländer.
Großstadt: 100 000 – Eine Großstadt hat mindestens 100 000 Einwohner.
Silvester: 365 – Silvester ist der letzte Tag im Jahr.

Neujahr: 1 – Neujahr ist der erste Tag im Jahr.
Kolumbus: 1492 – Im Jahr 1492 entdeckte Kolumbus Amerika.
Fußballmannschaft: 11 – Eine Fußballmannschaft besteht aus 11 Spielern.
Erdteile: 6 – Amerika (Nordamerika, Südamerika), Asien, Afrika, Europa, Australien, Antarktis
Zimmertemperatur: 20 – Die normale Zimmertemperatur beträgt etwa 20 Grad Celsius.
Alphabet: 26 – Das deutsche Alphabet hat (ohne Umlaute) 26 Buchstaben.
politische Parteien: 5 – In der Bundesrepublik gibt es zur Zeit 5 politische Parteien im Bundestag. (Oder: Es gibt eine 5-Prozent-Klausel, nach der eine Partei mindestens 5 % der Wählerstimmen erhalten muß, um im Bundestag vertreten zu sein.)
Kleinbildfilm: 36 – Mit einem Kleinbildfilm kann ich bis zu 36 Bilder machen.
Zugspitze: 3000 – Die Zugspitze ist fast 3000 m hoch und damit der höchste Berg Deutschlands. (Genau 2962 m)
Mittwoch: 3 – Der Mittwoch ist der dritte Tag der Woche.
Februar: 2 – Der Februar ist der zweite Monat des Jahres.
Sterne: Unendlich – Es gibt unendlich viele Sterne.
Wiedervereinigung: 1990 – Die DDR trat 1990 der Bundesrepublik bei.

Zusatz-Denksportaufgabe: *Geld erraten*
Ich kann erraten, wieviel Mark Sie in Ihrer Geldbörse haben. Nehmen Sie Ihren Geldbetrag mal 50. Zählen Sie 72 hinzu. Ziehen Sie 111 ab, zählen Sie dann noch einmal 39 hinzu und teilen Sie das Ergebnis durch 5.
Der Lehrer teilt das Resultat durch 10 und hat damit den Geldbetrag herausgefunden.

Adjektiv + Akkusativ
I.
die Breite/die Dicke/die Größe/die Höhe/die Länge/die Schwere (das Gewicht)/die Stärke/die Weite/die Entfernung

S. 162

II.
1. Der Baum ist ein halbes Jahrtausend alt. 2. Die Wolken sind einen Kilometer hoch. 3. Der Felsbrocken ist eine Tonne schwer. 4. Der Stern ist etwa ein Lichtjahr entfernt. 5. Die Fenster sind einen Meter breit. 6. Das Brett ist einen Zentimeter tief. 7. Das Blech ist einen Millimeter stark.

S. 164ff. Weitere Übungen

5
1. Jetzt ist die Tasse kaputtgegangen. – Macht nichts, die hatte eh schon einen Sprung. 2. Der Vortrag fällt heute abend aus. – Macht nichts, ich wollte mir eh die Fußballübertragung ansehen. 3. Du hast deinen Regenschirm stehenlassen. – Macht nichts, der war eh kaputt. 4. Der Termin ist geplatzt. – Macht nichts, ich hatte eh keine Zeit. 5. Der Marathonlauf findet nicht statt. – Macht nichts, es regnet eh in Strömen. 6. Wir müssen die geplante Investition verschieben. – Macht nichts, wir

sind eh knapp bei Kasse. 7. Jetzt haben wir den Bus verpaßt! – Macht nichts, der fährt eh in die falsche Richtung. 8. Jutta hat jetzt die Scheidung eingereicht. – Macht nichts, die beiden paßten eh nicht zusammen. 9. Die Regierung ist gestürzt worden. – Macht nichts, die war eh unfähig. 10. Jetzt habe ich deine Pralinen aufgegessen. – Macht nichts, ich wollte eh eine Schlankheitskur machen. 11. Du hast einen Fleck auf der Bluse. – Macht nichts, ich habe heute eh Waschtag.

9

der Meinung sein, seine Zustimmung geben, Vorbereitungen treffen, eine Entscheidung treffen, einen Beitrag leisten, die Absicht haben, Vollmacht erteilen, ein Referat halten, in Erwägung ziehen, Einigung erzielen, ein Urteil abgeben

10

1. Die Eltern beeinflussen die geistige Entwicklung des Kindes. 2. Benachrichtigen Sie mich sofort, wenn etwas passieren sollte! 3. Ich möchte Sie zu diesem Erfolg beglückwünschen. 4. Der Vertrag berechtigt mich zur fristlosen Kündigung. 5. Er stimmte unseren Plänen zu. 6. Wer unter Alkoholeinfluß Auto fährt, gefährdet sich und andere. 7. Die Bundesrepublik beansprucht die früheren Ostgebiete nicht. 8. Die Eiskunstläuferin hat die Jury stark beeindruckt. 9. Ich würde eine pragmatische Lösung bevorzugen.

11

die Starts, die Chefs, die Materialien, die Büros, die Themen, die Babys, die Fuchsbaue, die Hobbys, die Konten, die Reptilien, die Computerviren, die Kinos, die Zentren, die Shampoos, die Mopeds, die Gymnasien, die Dramen, die Daten, die Taxis, die Streiks, die Parks, die Koteletts

12

der Export – der Import
die Gefahr – die Sicherheit
die Gesundheit – die Krankheit
das Glück – das Pech
der Gott – der Teufel
die Großmutter – der Großvater
die Hauptsache – die Nebensache
der Haß – die Liebe
der Himmel – die Hölle
die Hinfahrt – die Rückfahrt
die Hochzeit – die Scheidung
die Häßlichkeit – die Schönheit
die Höhe – die Tiefe
der Kauf – der Verkauf
der Käufer – der Verkäufer
der Krach – die Ruhe
die Kürze – die Länge
der Lärm – die Stille
die Landung – der Start
der Lehrer – der Schüler

die Lüge – die Wahrheit
die Macht – die Ohnmacht
die Mehrheit – die Minderheit
der Mieter – der Vermieter
die Milde – die Strenge
das Mißtrauen – das Vertrauen
die Mutter – der Vater
der Nachname – der Vorname
die Nacht – der Tag
der Nachteil – der Vorteil
der Neffe – die Nichte
der Norden – der Süden
der Nutzen – der Schaden
die Oma – der Opa
der Onkel – die Tante
der Osten – der Westen
das Recht – das Unrecht
der Schwager – die Schwägerin
der Sommer – der Winter

13

1. übergangen 2. aufgegangen 3. aus 4. aus 5. zergeht 6. begehst 7. entgangen 8. umgehen 9. umgehen 10. untergegangen 11. vor 12. vorgehen 13. vor 14. angehen 15. an 16. aufgegangen 17. eingegangen 18. zugehen

14

das T-Shirt, die Sandalen, die Socken, das kurzärmlige Hemd
die Nase, der Mund, das Auge, die Stirn
Hammelfleisch, Schweinefleisch, Rindfleisch, Kalbfleisch
der Pfeffer, das Salz, der Curry, der Ingwer
der Pudding, der Fruchtsalat, der Käse, die Quarkspeise
die Melkmaschine, der Pflug, der Traktor, die Mähmaschine
der (oder: das) Bonbon, der Dauerlutscher, der Kaugummi, die Praline
der Zentimeter, der (oder: das) Meter, der Kilometer, das Lichtjahr
die Kugel, die Pyramide, der Würfel, der Zylinder
der Karton, die Plastikfolie, die Pappe, die Schnur
die Wasserkraft, die Kernkraft, die Sonnenenergie, die Windkraft
die FAZ, die Frankfurter Rundschau, die Bild-Zeitung, die Welt
die Gotik, die Renaissance, das/der Barock, das Rokoko
Weihnachten, Neujahr, Ostern, Pfingsten
der Buddhismus, das Christentum, der Islam, das Judentum
die Bank, der Hocker, der Sessel, der Stuhl

15

die Alpen → das Gebirge; das Bein → der Körperteil; das Benzin → der Kraftstoff; der Blumenkohl → das Gemüse; die Buche → der Laubbaum; das Bügeleisen → das Haushaltsgerät; die Fichte → der Nadelbaum; die Fleischerei → das Geschäft; die Gabel → das Besteck; die Grippe → die Krankheit; der Groschen → das Geldstück; der Herbst → die Jahreszeit; das Hochhaus → das Gebäude; der Hund → das Haustier; der Hundertmarkschein → die Banknote; der Januar → der Monat; der Kabeljau → der Fisch; der Koffer → das Gepäckstück; der Pfeffer → das Gewürz; (das) Pfingsten → der Feiertag; die Posaune → das Musikinstrument; der Pudding → der Nachtisch; der Sauerstoff → das Gas; (das) Schweden → das Land; das Mineralwasser → das Getränk; das Stiefmütterchen → die Blume; der Strumpf → das Kleidungsstück; der Tankwart → der Beruf; der Teich → das Gewässer; der Teller → das Geschirr; der Weizen → das Getreide; der Westen → die Himmelsrichtung; die Zitrone → die Frucht

17

rechtlich, bürgerlich, kräftig, indisch, süchtig, energisch, tödlich, periodisch, mündlich, gewerblich, steuerpflichtig, abergläubisch, sorgfältig, bärtig, gewichtig, mächtig, wörtlich, vorrätig, psychisch, wohltätig, mittelmäßig, neugierig, haarig, wahnsinnig, menschlich, nebensächlich, europäisch, kugelförmig, nachbarlich, bäuerlich, rheinländisch, neidisch, schimmelig, nachteilig, wink(e)lig, würdig, schädlich, feindlich, sommerlich, ehelich, farblich (farbig), türkisch, alltäglich, kirchlich, friedlich, parteiisch, männlich, schwedisch, gnädig, neblig

18

1. auf das Wort 2. an der Reihe 3. eine Chance 4. in Frage 5. zur Sprache 6. Mühe
7. Rücksicht 8. Stellung 9. Hilfe 10. Platz 11. Bescheid 12. Rolle 13. Kredit

19

1. setzen 2. leisten 3. nehmen 4. treffen 5. stellen 6. erheben 7. treffen 8. treffen
9. bringen 10. leisten 11. fassen

20

1. Ich bringe meine Gefühle zum Ausdruck. 2. Ich habe einen Entschluß gefaßt.
3. Ich setze mich nicht zur Wehr. 4. Ich leiste keine Hilfe. 5. Ich leiste keine Zahlung.
6. Ich treffe Reisevorbereitungen. 7. Ich stelle einen Antrag auf Sozialhilfe. 8. Ich
treffe Vorsorge für den Ernstfall. 9. Ich treffe die Entscheidung über meine Berufs-
wahl. 10. Ich nehme seine Dienste in Anspruch.

21

1. Willst du meine zerrissene Jacke? – Mit einer Jacke, die zerrissen ist, kann ich
nichts anfangen. 2. Willst du meine löchrige Hose? – Mit einer Hose, die Löcher hat,
kann ich nichts anfangen. 3. Willst du mein altes, vom Sperrmüll stammendes Mobiliar? – Mit altem Mobiliar, das vom Sperrmüll stammt, kann ich nichts anfangen.
4. Willst du meine zerkratzten Schallplatten? – Mit Schallplatten, die zerkratzt sind,
kann ich nichts anfangen. 5. Willst du meine altmodischen Krawatten? – Mit Krawatten, die altmodisch sind, kann ich nichts anfangen. 6. Willst du meinen defekten
Geschirrspüler? – Mit einem Geschirrspüler, der defekt ist, kann ich nichts anfangen. 7. Willst du mein durchgerostetes Auto? – Mit einem Auto, das durchgerostet
ist, kann ich nichts anfangen.

22

1. Der alte Baum, der innen schon hohl war, ist umgesägt worden. 2. Der Radfahrer,
dessen Lampe kaputt war, wurde von einem Polizisten angehalten. 3. Das Erdbe-
ben, dessen Epizentrum in Anatolien lag, hatte verheerende Folgen. 4. Der Koffer,
der die Banknoten enthielt, wurde gestohlen. 5. Die Wohnung, die über meiner liegt,
wird frei. 6. Der Schnee, der heute nacht gefallen ist, wird vom Bürgersteig ge-
schaufelt. 7. Die Hose, die gekürzt werden muß, habe ich zum Schneider gebracht.
8. Die Ware, mit der wir unzufrieden waren, haben wir zurückgeschickt. 9. Die Studenten, deren Professor verhaftet worden war, sind in den Hungerstreik getreten.
10. Den Brief, den mir Onkel Max geschickt hat, kann ich nicht finden. 11. Das Kleid,
das du in der Oper anhattest, steht dir toll. 12. Der Anzug, auf dem die Spaghettiso-
ßenflecken sind, muß in die Reinigung. 13. Der Sportler, den man bei der Dopingkontrolle überführt hat, wird disqualifiziert.

23

Ein Korkenzieher ist ein Gerät, das man benutzt, um einen Korken aus einer Weinflasche zu ziehen. – Brieftauben sind Vögel, die sich besonders Taubenzüchter im Ruhr-
gebiet als Hobby halten und die den Weg nach Haus schnell und sicher finden. – Ein
Schal ist ein längeres Kleidungsstück, das man sich im Winter um den Hals wickelt. –
Eine Sonnenbrille ist eine Brille, die dunkel ist und die vor den schädlichen Strahlen
der Sonne schützt. – Eine Kinderklinik ist ein Krankenhaus, das auf Kinderkrankhei-

ten spezialisiert ist. – Ein Regal ist ein Möbelstück, das aus Brettern besteht und in dem man z. B. Bücher aufbewahrt. – Ein Professor ist ein Gelehrter, der an einer Universität unterrichtet. – Eine Diskette ist ein Datenträger, auf dem Programme und Dateien stehen und den man in einen Computer stecken kann. – Ein Walfisch ist ein riesiges Säugetier, das im Meer lebt und das von der Ausrottung bedroht ist. – Ein Thermometer ist ein Instrument, mit dem man die Temperatur messen kann.

24

1. dessen 2. deren 3. deren 4. dessen 5. deren 6. dessen 7. deren 8. deren 9. dessen

25

1. Wo liegt der Zettel, auf dem ich die Telefonnummer notiert hatte? 2. Wie heißt der Gast gleich, auf dessen Namen ich nicht komme? 3. Wer ist der Fremde, auf den du jeden Tag wartest? 4. Kriegst du die Stelle, auf die du hoffst? 5. Meinst du, er kriegt die Erbschaft, auf die er sicher spekuliert? 6. Er ist ein zuverlässiger Kerl, auf den du dich unbedingt verlassen kannst. 7. Sind das die Beobachtungen, auf denen deine Vermutungen beruhen? 8. So sehen meine Forderungen aus, auf denen ich übrigens bestehe. 9. Der Termin, auf den man mich vertrösten will, liegt im Herbst. 10. Das ist ein echter Freund, auf den man zählen kann.

26

1. Der Motor ist angesprungen. – Ein Köter hat das Kind angesprungen.
2. Der Müllwagen hat den Müll abgefahren. – Die S-Bahn ist abgefahren.
3. Sie sind zu einem Fußmarsch aufgebrochen. – Er hat den Safe aufgebrochen.
4. Seine Rede ist auf Ablehnung gestoßen. – Sie hat sich den Kopf an der Schranktür gestoßen.
5. Das Schiff hat die Insel angelaufen. – Die Suchaktion ist angelaufen.
6. Du hast den dicken Pulli ausgezogen. – Er ist aus der Wohnung ausgezogen.
7. Das Dokument ist an der Ecke eingerissen. – Der Bagger hat das Haus eingerissen.
8. Ich habe schon immer einen VW-Golf gefahren. – Ich bin an den Golf gefahren.
9. Ich bin nachts öfter aufgestanden. – Das Fenster hat die ganze Nacht aufgestanden.
10. Wir sind in die Stadt gezogen. – Die Elektriker haben das Kabel gezogen.

27

1. Er hat die Frage geschickt umgangen.
   Sie ist mit den Kindern unfreundlich umgegangen.
2. Der Tag ist angebrochen.
   Sie hat die Cognacflasche angebrochen.
3. Die Demonstration ist gut verlaufen.
   Die Demonstranten haben sich danach verlaufen.
4. Sie ist zum Islam übergetreten.
   Er hat die Gesetze übertreten.
5. Er hat sich beim Sturz einen Zahn ausgebrochen.
   Die Häftlinge sind aus der Untersuchungshaft ausgebrochen.

28

1. ob er der Täter war 2. ob ihr ihn in der Stadt getroffen habt 3. ob Jan die Schule geschwänzt hat 4. ob das ein Umweg war 5. ob heute die Zirkuspremiere ist 6. ob die Krankheit zum Tode führt 7. ob er eine Visitenkarte bei sich hat 8. ob sie den Hund gefüttert hat 9. ob er an der Demonstration teilnimmt 10. ob wir einen Betriebsausflug machen 11. ob sie heimlich geheiratet hatten 12. ob jemand die Schecks gestohlen hat 13. ob er mir schon mal vorgestellt wurde 14. ob Sie mich richtig verstanden haben

29

1. wenn 2. wann 3. Als 4. Wenn 5. Wenn 6. ob 7. wann 8. wenn, ob 9. wann 10. Ob 11. als 12. wenn 13. wenn 14. als 15. ob 16. wann 17. wenn 18. Ob 19. wann 20. ob

30

1. Das Öl wird den Strand verpesten, es sei denn, der Wind dreht seewärts. (..., es sei denn, daß der Wind seewärts dreht.) 2. Angenommen (Gesetzt den Fall), ich mache eine Erbschaft, dann lege ich die Hände in den Schoß. (..., daß ich eine Erbschaft mache, dann lege ich die Hände in den Schoß.) 3. Er wird die Schachpartie gewinnen, es sei denn, daß sie Remis (unentschieden) spielen. (... es sei denn, sie spielen Remis.) 4. Gesetzt den Fall (Angenommen), ein Störfall tritt ein, dann wird der Reaktor automatisch abgeschaltet. (..., daß ein Störfall eintritt, dann ...) 5. Gesetzt den Fall (Angenommen), sein Gesundheitszustand verschlechtert sich, dann müssen wir die Verwandten benachrichtigen. (..., daß sich sein Gesundheitszustand verschlechtert, ...) 6. Sie müssen die Auskunft anrufen, es sei denn, Sie kennen die Telefonnummer. (..., es sei denn, daß Sie die Telefonnummer kennen.) 7. Sie können keinen Bankkredit bekommen, es sei denn, Sie können Sicherheiten bieten. (..., es sei denn, daß Sie Sicherheiten bieten können.) 8. Angenommen (Gesetzt den Fall), Sie ziehen um, dann können Sie einen Nachsendeantrag bei der Post stellen. (..., daß Sie umziehen, ...)

31

1. Für den Fall, daß wir ins Hochgebirge fahren, müssen wir noch die Winterreifen montieren. 2. Im Fall, daß wir Besuch bekommen, werden wir Käsefondue machen. 3. Nehmen wir an, daß der Aufzug stecken bleibt, dann kann man einen Alarmknopf drücken. 4. Vorausgesetzt, daß er das Abitur besteht, will er Germanistik studieren. (Unter der Bedingung, daß ...) 5. Im Fall, daß die Paketsendung verlorengegangen ist, können Sie Schadensersatz verlangen. 6. Vorausgesetzt, daß Eigenbedarf des Vermieters besteht, ist die Kündigung wirksam. 7. Für den Fall, daß der Chef auf Dienstreise ist, sprechen Sie mit seinem Stellvertreter. 8. Nehmen wir an, daß mehr Frauen eine Berufstätigkeit aufnehmen, dann benötigen wir mehr Krippenplätze.

32

1. Der Wärter schlief. Währenddessen brach ein Gefangener aus. 2. Die Eltern sahen fern. Währenddessen spielten die Kinder mit Streichhölzern. 3. Die Antilope weidete. Währenddessen schlich sich ein Löwe heran. 4. Das Volk demonstrierte. Währenddessen trat die Regierung zusammen. 5. Es wurde hell. Währenddessen begannen die Vögel zu singen. 6. Er schnarchte, daß die Wände wackelten. Während-

dessen beschwerte sie sich beim Schlafwagenschaffner. 7. Wir besichtigten den Dom. Währenddessen hatte man versucht, unser Auto aufzubrechen. 8. Er tanzte mit ihrer Schwester. Währenddessen flirtete sie mit ihrem Tischnachbarn.

Anmerkung:
Alle Beispielsätze sind auch möglich mit „indessen", „unterdessen", „währenddem" und „inzwischen".

33
1. Bevor/Ehe 2. allerdings/jedoch 3. gleichwohl/trotzdem 4. Soviel/Soweit 5. Insofern/Insoweit 6. während/wohingegen 7. als ob/wie wenn 8. Angenommen/Gesetzt den Fall 9. Unterdessen/Währenddessen 10. Überdies/Zudem 11. andernfalls/sonst 12. selbst/sogar

34
1. Wegen des Gewitters 2. Durch den heftigen Hagel 3. Wegen des Schneefalls 4. Trotz der glühenden Hitze 5. Wegen Eisglätte 6. Bei zunehmender Dunkelheit 7. Während der Mondfinsternis 8. Statt des warmen Sonnenscheins 9. Kurz nach der Wetterbesserung 10. Nach Tagesanbruch 11. Vor Ausbruch des Sturms 12. Durch den Kälteeinbruch 13. Trotz der Nebelauflösung 14. Vor dem Wolkenaufzug 15. Durch Verlagerung des Hochs

35
1. dir 2. einen 3. einen 4. ihm 5. der alten 6. einen 7. mir 8. mir 9. Ihnen 10. mir 11. mir 12. einen

36
Hinweis: Die Stellung des Adjektivs im Satz kann in diesen Sätzen verändert werden.

1. Der Professor ist mit dem Examen unzufrieden. 2. Der Kanister ist voll mit Benzin. 3. Die Bundesrepublik ist arm an Erdölvorkommen. 4. Ich bin in meine Lehrerin verliebt. 5. Jürgen ist auf seinen Kollegen eifersüchtig. 6. Der General ist auf seine Soldaten stolz. 7. Die Straße ist frei von gefährlichem Eis. 8. Die Nachbarn sind neidisch auf den Lottogewinner. 9. Der Kranke ist glücklich über seine Genesung. 10. Die Zuschauer wurden blaß vor Schreck. 11. Der Regisseur wurde auf ein junges Talent aufmerksam. 12. Das Opfer war böse auf den Taschendieb. 13. Monika ist mit dem Telefonieren fertig. 14. Ich bin mit dem Filmstar bekannt.

Reihe V: Aus der Welt der Wirtschaft

Auf Cassette wurden folgende Texte und Übungen aufgenommen:

Ende des Wachstums? (S. 178/179)
Hören und verstehen: *Erfahrungen mit dem Ladenschluß* (S. 189)
Sprechübungen: Schon erledigt (S. 193)
Sprechübung: Geld regiert die Welt (S. 196)
Hören und verstehen: *Zeitungstexte* (S. 196)
Übungen zum Passiv (S. 197)

S. 179

Fragen zum Text
1. Das Bruttosozialprodukt (BSP) ist der Wert der Gesamtheit der Güter und Dienstleistungen, die in einem Land innerhalb von einem Jahr erbracht werden.

S. 180

Wortbildung
I.
der Apparat zum Fernsehen; der Markt für die Konsumgüter; der Kauf eines Autos; der Preis für Energie; die Länder, in denen Öl gefördert wird; die Geschäfte im Export; der Strom von Flüchtlingen; der Boom an Babys; der Haushalt des Staates; die Kosten für den Unterhalt

II.
die Wirtschaftslage; die Stellensuche; die Scheckkarte; das Streikrecht; die Meisterprüfung; der Gewerkschaftsbund; der Arbeitgeberanteil; das Industriegebiet; die Energieversorgung; die Massenherstellung; die Lohnsteuer; das Warenmuster; die Zahlungsbedingungen; die Krankenversicherung; die Transportkosten

S. 181

Setzen Sie die Präposition ein
1. um 2. an 3. zum 4. nach 5. auf 6. auf 7. von, auf 8. in 9. um 10. mit

S. 182

Synonyme
1d, 2e, 3f, 4h, 5g, 6c, 7a, 8b

Häufige Abkürzungen
Gesellschaft mit beschränkter Haftung, Offene Handelsgesellschaft, Kommanditgesellschaft, Aktiengesellschaft, Deutsche Mark, Abteilung, eingetragener Verein, von Hundert, im Auftrag, Konto, Bankleitzahl, Deutscher Gewerkschaftsbund, Deutsche Angestelltengewerkschaft, Deutscher Beamtenbund, Industriegewerkschaft, Gewerkschaft für Öffentliche Dienste, Transport und Verkehr

S. 184

Vokabeltest

die Ware	– herstellen	– die Herstellung	– der Hersteller
das Erzeugnis	– erzeugen	– die Erzeugung	– der Erzeuger
das Produkt	– produzieren	– die Produktion	– der Produzent
das Fabrikat	– fabrizieren	– die Fabrikation	– der Fabrikant

Synonyme

der Besitz; die Fusion – der Zusammenschluß; der Verbrauch – der Konsum; der Erwerbstätige – der Arbeitnehmer; die Güter – die Waren; die Einkünfte – das Einkommen; die Rezession – die Flaute; das Wachstum – der Zuwachs; das Unternehmen – die Firma; das Kartell – die Absprache

S. 185

Wie heißen die Verben?

die Abnahme – abnehmen, die Verringerung – (sich) verringern, die Verkleinerung – (sich) verkleinern, der Fall – fallen, das Sinken – sinken, der Anstieg – ansteigen, die Erhöhung – (sich) erhöhen, die Zunahme – zunehmen, das Anwachsen – anwachsen, die Vermehrung – (sich) vermehren, die Vergrößerung – (sich) vergrößern

Zusätzliche Sprechübung

Beispiel: der Zuwachs der Geldmenge
  Die Geldmenge ist gewachsen.
 1. die Erhöhung der Preise
 2. der Anstieg der Lebenshaltungskosten
 3. die Vermehrung der Menschheit
 4. die Vergrößerung des Umsatzes
 5. das Anwachsen des Kapitals
 6. der Fall der Profitrate
 7. der Rückgang der Gewinne
 8. die Abnahme der Kaufkraft
 9. das Sinken der Zinsen
10. die Verkleinerung des Marktes
11. die Verringerung der Ausgaben

Lösungen:
 1. Die Preise haben sich erhöht.
 2. Die Lebenshaltungskosten sind (an)gestiegen.
 3. Die Menschheit hat sich vermehrt.
 4. Der Umsatz hat sich vergrößert.
 5. Das Kapital ist (an)gewachsen.
 6. Die Profitrate ist gefallen.
 7. Die Gewinne sind zurückgegangen.
 8. Die Kaufkraft hat abgenommen.
 9. Die Zinsen sind gesunken.
10. Der Markt hat sich verkleinert.
11. Die Ausgaben haben sich verringert.

S. 187

Zeugnisse
1c, 2b, 3a, 4f, 5i, 6h, 7d, 8g, 9e

S. 188

Finden Sie den Oberbegriff
1. die Tarifpartner 2. die Sozialleistung 3. das Bankwesen 4. die Konjunktur 5. die Betriebsunkosten 6. die Werbung 7. der Arbeitskampf

Was stimmt?
1d, 2b, 3c, 4d, 5a, 6c, 7c, 8c, 9c

S. 189

Hören und verstehen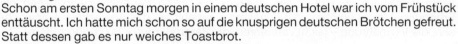
Erfahrungen mit dem Ladenschluß
Schon am ersten Sonntag morgen in einem deutschen Hotel war ich vom Frühstück enttäuscht. Ich hatte mich schon so auf die knusprigen deutschen Brötchen gefreut. Statt dessen gab es nur weiches Toastbrot.

Am Samstag nachmittag rief mich mein Freund an. Er hatte plötzlich Besuch bekommen und wollte mit anderen Ausländern am Abend eine Fete machen. Das ging aber dann doch nicht, denn wo sollten wir bloß Getränke und Essen herkriegen?

In der Woche mache ich oft Überstunden. Und nach halb sieben am Abend sind alle Läden zu. Die ganze Stadt ist wie ausgestorben. Ich würde dann gern noch bummeln geh'n, aber ich will mir ja nicht nur die Geschäfte von außen ansehen.

S. 190

Zum **Passiv** vergleichen Sie bitte: Helbig/Buscha, S. 163ff.; Schulz/Griesbach, S. 40ff.; Duden, S. 91ff.; Erben, S. 81ff.; Dreyer/Schmitt, S. 93ff. (Neubearbeitung S. 101ff.)

Das Passiv
II.
1. Die Rechnungen werden geschrieben. 2. Die Kündigung wird abgeschickt. 3. Die Mitarbeiter werden vom Chef beobachtet. 4. Die Waren werden von der Sekretärin bestellt. 5. Alle Produkte werden von der Spedition geliefert. 6. Der Kunde wird von dem Vertreter geworben.

S. 191

Wie heißen die Verben?
die Entlassung – entlassen; die Abdankung – abdanken; die Absetzung – absetzen; die Beendigung – beend(ig)en; der Hinauswurf – hinauswerfen; der Rausschmiß – rausschmeißen; die Kündigung – kündigen

Zusatzübung: *Kündigung*
Für die Beendigung eines Arbeitsverhältnisses gibt es verschiedene sprachliche Ausdrücke. Schreiben Sie diese in ungeordneter Reihenfolge an die Tafel und lassen Sie die Kursteilnehmer herausfinden, welche davon umgangssprachlich-vulgär oder welche auf höherer Stilebene benutzt werden:
umgangssprachlich-vulgär: rausfliegen, rausgeworfen werden, rausgeschmissen werden, an die Luft gesetzt werden, gefeuert werden
neutral: um die Entlassung bitten, kündigen, in den Ruhestand treten, in Pension gehen, um die Papiere bitten, das Dienstverhältnis beenden, sich zur Ruhe setzen
gehobene Ebene: seinen Abschied nehmen, um seine Entlassung bitten, demissionieren, sein Amt niederlegen, abgesetzt werden

Drücken Sie das Gegenteil aus

1. ..., er ist in den Ruhestand versetzt worden.
2. ..., er ist entlassen worden.
3. ..., er ist seines Amtes enthoben worden.
4. ..., er hat seine Papiere bekommen.

Bilden Sie das Passiv

1. Bevor ich pensioniert werde, beantrage ich selbst die Pensionierung.
2. Bevor ich rausgeschmissen werde, gehe ich schon von selbst.
3. Bevor ich entlassen werde, reiche ich selbst die Entlassung ein.
4. Bevor der Parteivorsitzende seines Amtes enthoben wurde, stellte er selbst sein Amt zur Verfügung.
5. Bevor ich in den Ruhestand versetzt werde, gehe ich freiwillig.
6. Bevor ich gefeuert werde, hänge ich den Job gleich selbst an den Nagel.
7. Bevor der General verabschiedet wurde, reichte er selbst seinen Abschied ein.
8. Bevor ich abgesetzt werde, danke ich lieber selbst ab.

Zusätzliche Übung

Büroordnung – nicht ganz ernst zu nehmen ...
Setzen Sie die Passivform ein.

1. Dem Chef .... immer recht gegeben.
2. Den Anordnungen der Putzfrauen .... unbedingt Folge geleistet.
3. Im Interesse eines gesunden Betriebsklimas .... Krankheiten nicht gestattet.
4. Lohntüten .... auf den Knien entgegengenommen.
5. Gedanken an Gehaltserhöhung .... als schädlich betrachtet und .... im Wiederholungsfall mit Entlassung bestraft.
6. Urlaubsansprüche .... nach Erreichen der Pensionierung gern berücksichtigt.
7. Überstunden, Nachtarbeit und Sonntagsdienst .... als Hobbys unserer Mitarbeiter zugelassen.
8. Toilettenbesuche .... ausschließlich in der Mittagspause erlaubt. In dringenden Angelegenheiten .... vom Chef entschieden.
9. Lehrlinge .... zum Bierholen und Saubermachen ausgebildet.
10. Das Brüllen im Betrieb .... nur dem Chef erlaubt.
11. Hat der Chef einmal unrecht, ... auf Punkt 1 verwiesen.

Lösungen:
1. wird 2. wird 3. werden 4. werden 5. werden, werden 6. werden 7. werden 8. werden, wird 9. werden 10. wird 11. wird (bei Satz 3, 7, 8 und 10 ist auch das Zustandspassiv möglich: 3. sind 7. sind 8. sind 10. ist)

sein + Infinitiv mit *zu:*
Lassen Sie die Sätze nach folgendem Muster verändern:
Dem Chef *wird* immer recht gegeben.
Dem Chef *ist* immer recht *zu* geben.

S. 193

Sprechübung: *Schon erledigt*
Beispiel: Schreiben Sie die Rechnung.
       Die Rechnung ist längst geschrieben worden.
1. Rufen Sie den Reparaturdienst an.
2. Beantworten Sie das Schreiben.
3. Frankieren Sie die Post.
4. Leeren Sie den Papierkorb.
5. Sagen Sie den Termin ab.
6. Machen Sie eine Fotokopie.
7. Legen Sie mir den Brief zur Unterschrift vor.

Lösungen:
1. Der Reparaturdienst ist längst angerufen worden. 2. Das Schreiben ist längst beantwortet worden. 3. Die Post ist längst frankiert worden. 4. Der Papierkorb ist längst geleert worden. 5. Der Termin ist längst abgesagt worden. 6. Eine Fotokopie ist längst gemacht worden. 7. Der Brief ist Ihnen längst zur Unterschrift vorgelegt worden.

Sprechübung: *Eine ehrenwerte Firma*
Beispiel: Fräulein Müller, buchen Sie einen Flug auf die Bahamas.
       Ein Flug auf die Bahamas ist schon gebucht worden.
1. Reservieren Sie mir ein Hotelzimmer.
2. Rufen Sie bei der Bank an.
3. Leeren Sie das Firmenkonto.
4. Öffnen Sie den Tresor.
5. Packen Sie das Geld ein.
6. Schicken Sie meiner Frau Blumen.
7. Bestellen Sie das Taxi zum Flughafen.
8. Informieren Sie nicht die Polizei.

Lösungen:
1. Ein Hotelzimmer ist schon reserviert worden. 2. Bei der Bank ist schon angerufen worden. 3. Das Firmenkonto ist schon geleert worden. 4. Der Tresor ist schon geöffnet worden. 5. Das Geld ist schon eingepackt worden. 6. Ihrer Frau sind schon Blumen geschickt worden. 7. Das Taxi zum Flughafen ist schon bestellt worden. 8. Die Polizei ist schon informiert worden!

Bilden Sie das Passiv

1. Von der Bundesrepublik werden Investitionsgüter in alle Welt exportiert.
2. Das industrielle Wachstum der Bundesrepublik nach dem Zweiten Weltkrieg wurde als Wirtschaftswunder bezeichnet.
3. Die Automobilindustrie wird wohl auch zukünftig als ein Konjunkturbarometer betrachtet werden.
4. Zu den größten Chemieunternehmen werden Hoechst, Bayer und BASF gezählt.
5. Nach der Einführung der EDV (Elektronischen Datenverarbeitung) ist vielen Mitarbeitern gekündigt worden.
6. Im Grundgesetz war die Freiheit der privaten Initiative und das Privateigentum garantiert worden.
7. Nicht nur die deutsche Wirtschaft wurde vom Ölpreisschock getroffen.
8. Die Preise an den Tankstellen werden sicher in Zukunft mehr beachtet werden.
9. Die Bauwirtschaft wird von der öffentlichen Hand mit Aufträgen unterstützt.

S. 194

Denksportaufgabe

werden, werden, werden, wurden, wurden

Die Bleistifte wurden zunächst in kleine Bleistiftstummel zersägt. Dann wurden sie angespitzt und abgeliefert. Die Bleistiftstummel wurden dann gegen neue Bleistifte eingetauscht.

Sprechübung

1. Was ist mit dem Scheck?   – Der muß eingelöst werden.
2. Was ist mit dem Brief?   – Der muß frankiert werden.
3. Was ist mit dem Firmenwagen?   – Der muß gewaschen werden.
4. Was ist mit dem Paket?   – Das muß geschnürt werden.
5. Was ist mit Herrn Müller?   – Der muß gemahnt werden.
6. Was ist mit der Hotelbuchung?   – Die muß storniert werden.
7. Was ist mit der Schreibmaschine?   – Die muß repariert werden.
8. Was ist mit dem Taxi?   – Das muß bestellt werden.

S. 195

Konkurs

II.

Unser Juniorchef wollte hoch hinaus. Er selbst wollte natürlich luxuriös leben. Wir sollten uns alle sehr anstrengen, aber er selbst wollte sich keine große Mühe geben. Bald war die Firma bei allen Banken verschuldet. Bei diesen hohen Zinsen konnten wir es ja nie zu etwas bringen. Das wurde nicht bekanntgemacht. Und wir als Arbeiter wußten natürlich nicht Bescheid. Wir dachten, wir sind noch abgesichert. Und dabei war die Firma in ihrer Existenz gefährdet. Eines Tages mußte aber auch der Juniorchef nachgeben. Da hat er alles eingestanden und erklärt, daß er uns kündigen müßte. Der Betriebsrat hat dann zum Glück alles Mögliche unternommen, und so sind wir noch mal ohne größeren Schaden davongekommen.

S. 196

Vokabelsalat

Gewerkschaft: Mutterschaftsurlaub, Streik, Gehalt, Urlaubsanspruch, Überstunde, Akkord, Mitgliederbeitrag
Bank: Wechsel, Girokonto, Überweisung, Kreditzinsen, Bankleitzahl, Kurs
Rohstoffe: Erdöl, Braunkohle, Eisen, Kupfer
Unkosten: Miete, Lagerhaltung, Investition, Porto, Gehalt, Kreditzinsen, Abschreibung
Korrespondenz: Adresse, Empfänger, Porto, Anschrift, Postleitzahl, Unterschrift

Wie heißen die Nomen?

1. die Abhebung 2. der Umtausch 3. die Einzahlung 4. die Auszahlung 5. die Anlage 6. die Überweisung 7. der Wechsel

Sprechübung: *Geld regiert die Welt*
Beispiel: Eine Geldüberweisung?
            Ja, das Geld soll überwiesen werden.

1. Ein Geldwechsel?   – Ja, das Geld soll gewechselt werden.
2. Einen Geldumtausch?   – Ja, das Geld soll umgetauscht werden.
3. Eine Geldabhebung?   – Ja, das Geld soll abgehoben werden.
4. Eine Geldeinzahlung?   – Ja, das Geld soll eingezahlt werden.
5. Eine Geldauszahlung?   – Ja, das Geld soll ausgezahlt werden.
6. Eine Geldanlage?   – Ja, das Geld soll angelegt werden.

Hören und verstehen: *Wirtschaftstexte aus der Zeitung*
Keine Zeit

Der Zeitmangel wird in unserer Gesellschaft immer größer. Es gilt bei vielen als schick, einen überfüllten Terminkalender zu haben. Obwohl die Mehrheit der Bevölkerung nur zwischen 37 und 40 Stunden pro Woche arbeitet, gilt das nicht für Manager und Führungskräfte. In ihren Bürozimmern brennt oft spätabends noch Licht. Oder sie nehmen sich Arbeit fürs Wochenende mit nach Hause. Immer mehr talentierte junge Menschen verzichten deshalb gern auf eine berufliche Karriere. Sie wollen ihre Zeit genießen und tauschen sie gern gegen den beruflichen Aufstieg ein.

Was die Deutschen am liebsten essen

Der Verbrauch an Süßigkeiten ist wieder einmal gestiegen. Jeder Bundesbürger verzehrte pro Jahr im Durchschnitt etwa 17 Kilo Schokolade, Waffeln, Kekse, Lebkuchen, Salzgebäck, Pralinen, Nüsse, Kartoffelchips, Gummibonbons, Marzipan oder Kaugummi. Am verführerischsten ist offenbar die Schokolade. Durchschnittlich aß jeder 35 Tafeln, das sind 3,5 Kilo. Nicht jeder dicke Deutsche hat seinen Bauch nur vom Biertrinken bekommen.

Vorsichtiger Optimismus

Die Großbanken sind der Ansicht, daß die Konjunktur im kommenden Jahr in Deutschland wesentlich an Fahrt verlieren könnte. Die Experten meinen, daß im Westen Deutschlands nur noch mit einem Wachstum des Bruttosozialprodukts von 1,8 Prozent zu rechnen sei. In den neuen Bundesländern hingegen erwarten sie eine Zunahme der Wirtschaftsleistung um über 10 Prozent. Auch die Gewinne der Unternehmen werden vermutlich weiter ansteigen.

Betrug mit Scheckkarten
Von den 25 Millionen Eurocheque-Kartenbesitzern kann sich nur ein Drittel die Geheimzahl im Kopf merken. Viele notieren sich deshalb diesen Code, getarnt als Telefonnummer, in ihrem Adreßbuch. Diesen Trick kennen jedoch auch viele Taschendiebe. Sie bedienen sich dann ohne große Mühe an den Geldautomaten. Die neueren Geldautomaten geben deshalb nur einmal täglich eine Geldsumme bis zu einem Höchstbetrag heraus.

Die harte D-Mark
Die D-Mark hat sich in den Jahren des Bestehens der Europäischen Gemeinschaft als die mit Abstand stabilste Währung erwiesen. Das ist ein Erfolg, der wesentlich der Deutschen Bundesbank zu danken ist. Und die Bundesbank konnte so erfolgreich sein, weil erstens die Geldwertstabilität zu ihren wichtigsten Zielen gehört und weil sie zweitens staatlichen Weisungen nicht unterworfen ist. Genau diese beiden Voraussetzungen für eine erfolgreiche Stabilitätspolitik sollen auch für die Europäische Zentralbank gelten, deren Aufgabe es sein wird, über die Stabilität einer gemeinsamen EG-Währung zu wachen, die spätestens 1999 eingeführt werden soll.

S. 197

Tonbandübung
1. ein Mangel wurde festgestellt. 2. der Empfang wurde bestätigt 3. der Kaufpreis wurde erstattet 4. das Angebot wurde unterbreitet 5. der Betrag wurde überwiesen 6. die Rechnung wurde beglichen 7. die Ware wurde geliefert 8. die Angelegenheit wurde erledigt 9. um Auskunft wurde gebeten 10. die Bestellung wurde widerrufen 11. der Auftrag wurde ausgeführt

Aus Geschäftsbriefen
I. *Setzen Sie die richtige Verbform ein.*
1. unterbreiten 2. bitten 3. erlauben 4. erfolgt 5. lauten 6. widerrufen 7. ausführen 8. bestätigen 9. bestellte, erledigen 10. festgestellt 11. gelieferte, erstatten 12. überweisen 13. beglichen 14. finden 15. verbleiben

S. 198
II.
13b, 6c, 11d, 9e, 7f, 5g, 1h, 3i, 14j, 12k, 10l, 8m, 4n, 2o

199

Was paßt zusammen?
1d, 2b, 3g, 4c, 5e, 6a, 7f (Alternativen sind möglich!)

Wie heißen die fehlenden Präpositionen?
2. auf 3. um 4. über 5. auf 6. auf 7. zur 8. auf, zur

S. 201ff. Weitere Übungen

2

der Campingplatz (auf einem), die Paßkontrolle (an der), die Oper (in der), die Pferde-rennbahn (auf der), die Schatzkammer (in einer), die Universität (in der), das Groß-raumbüro (in einem), der Zahnarzt (beim), die Autofähre (auf einer), die Beerdigung (auf einer), das Haushaltswarengeschäft (in einem), die Dichterlesung (bei einer), die Waldlichtung (auf einer), Utopia (in), der Fahrstuhl (in einem), das Badezimmer (im), der Zoo (im), das Olympiastadion (im), die Räuberhöhle (in einer), der Hauptbahnhof (auf dem), das Fundbüro (im), der Luxusdampfer (auf einem), die Bank (in einer), der Liegewagen (in einem), das Kino (im), die Gemüsehandlung (in einer), die Diskothek (in einer), das Schwimmbad (im), der Nachtclub (in einem), der Golfplatz (auf einem), der Keller (im), das Reisebüro (in einem), der Heißluftballon (in einem), der Strand (am), der Nordpol (am), der Sumpf (in einem), die Autobahnbrücke (auf einer), der Wohnwagen (in einem), der Bauernhof (auf einem), die Apotheke (in einer), der Bun-ker (in einem), die Wassermühle (in einer), die Bäckerei (in einer), der Optiker (bei einem), die Wäscherei (in einer), der Frühstückstisch (am), die Eissporthalle (in einer), das Hochzeitsfest (auf einem), die Müllhalde (auf einer), der Flugplatz (auf einem), der Verkehrsstau (im)

5

1. bei einem Arbeitsessen 2. auf einer Geschäftsreise 3. im Urlaub 4. auf der Han-nover-Messe 5. bei einem Empfang im Rathaus 6. auf dem Finanzamt 7. bei einem Firmenjubiläum 8. im Tennisclub

6

1. Könnte ich Herrn/Frau Dr. Müller von der Chirurgiestation sprechen? 2. Könnte ich Herrn Schuster aus der Devisenabteilung sprechen? 3. Könnte ich Frau Vetter vom Versand sprechen? 4. Könnte ich irgend jemand vom Technischen Dienst sprechen? 5. Könnte ich Herrn Schneider von der Hausdruckerei sprechen? 6. Könnte ich Frau Blume aus der Buchhaltung sprechen? 7. Könnte ich meinen Bruder, Apparat 234, sprechen?

7

1. der/die ist gerade auf einer Dienstreise nach San Francisco. 2. der ist gerade in einer Besprechung beim Vorstand. 3. die ist gerade zur Kur in Bad Reichenhall. 4. der Kundendienst hat schon seit 17.00 Uhr Feierabend. 5. der ist auf einem Be-triebsausflug und erst morgen wieder erreichbar. 6. die ist bis Ende der Woche in Paris. 7. der ist erst in einer halben Stunde zurück.

8

1. er/sie möchte sich nach seiner/ihrer Rückkehr bei Prof. Schulz melden. 2. er möchte sich schnellstens mit der Kreditabteilung in Verbindung setzen 3. er möchte einen Besprechungstermin beim Vertrauensarzt vereinbaren. 4. die Kabel für die per Kurier gelieferten Geräte fehlen 5. er möchte die Einladung in das Konzert nicht vergessen 6. der reparierte Fernsehapparat sei abholbereit 7. er möchte seinen Bruder zurückrufen

Oder Nebensatz mit „daß":
1. daß er/sie ... melden möchte. 2. daß er ... setzen möchte. 3. daß er ... vereinbaren möchte 4. daß ... fehlen 5. daß er ... usw.

14
Die Rechtsformen der Unternehmen

In der Wirtschaft finden wir eine ganze Reihe von Unternehmensformen. Man unterscheidet zwischen Personengesellschaften und Kapitalgesellschaften. Bei Personengesellschaften, wie z. B. der Gesellschaft bürgerlichen Rechts oder der OHG, haften die einzelnen Gesellschafter auch mit ihrem Privatvermögen für die Verbindlichkeiten. Die OHG gehört zu den verbreitetsten Gesellschaftsformen. Eine KG unterscheidet sich von einer OHG dadurch, daß die Gesellschafter, die sogenannten Kommanditisten, nur mit einer vertraglich festgelegten Vermögenseinlage haften. Ein Gesellschafter, der sogenannte Komplementär, haftet aber auch unbeschränkt mit seinem ganzen Vermögen. Zu den Kapitalgesellschaften zählen die AG und die GmbH. Für Großbetriebe der Wirtschaft ist die AG gedacht. Die Aktionäre haften nicht für Geschäftsverbindlichkeiten. Die Organe einer AG heißen Vorstand, Aufsichtsrat und Hauptversammlung. Mittlere und kleinere Unternehmen wählen häufig die Rechtsform einer GmbH. Ihre Geschäftsführer vertreten die Gesellschaft nach außen. Sie werden durch die Satzung bestimmt oder von der Gesellschafterversammlung gewählt.

15

1. Kennen Sie die Lösung,
a) oder sind Sie ein Teil des Problems?

2. Wissen ist Macht,
l) nichts wissen macht auch nichts.

3. Wo war ich denn,
e) als ich mich am meisten gebraucht habe?

4. Wo wir sind, klappt nichts,
j) doch wir können nicht überall sein.

5. Fahren Sie mich irgendwohin,
i) ich werde überall gebraucht.

6. Vor lauter Kaffeepausen
k) kann ich nachts nicht mehr schlafen.

7. Wer kriecht,
c) kann nicht stolpern.

8. Keiner ist unnütz,
b) er kann immer noch als abschreckendes Beispiel dienen.

9. Operative Hektik
d) ersetzt geistige Windstille.

10. Wie kann ich wissen, was ich denke,
g) bevor ich höre, was ich sage.

11. Eine Lösung hatte ich,
f) aber die paßte nicht zum Problem.

12. Sie können machen, was Sie wollen,
h) aber nicht so.

13. Ich antworte mit
n) einem entschiedenen Vielleicht.

14. Die Pflicht ruft,
m) laß sie schreien.

16
die Geige, die Zither, der Kontrabaß, die Bratsche
die Buche, die Linde, die Eiche, die Pappel
Adenauer, Erhard, Kiesinger, Brandt, Schmidt, Kohl
der Paß, der Führerschein, der Personalausweis, der KFZ-Schein
die CDU, die SPD, die Grünen, die FDP
das Feuerzeug, der Aschenbecher, die Pfeife, die Zigarre
die Addition, die Subtraktion, die Multiplikation, die Division
das Zelt, der Gaskocher, die Luftmatratze, der Schlafsack
die Kette, der Ring, das Armband, die Brosche
die Grundschule, die Hauptschule, die Realschule, das Gymnasium
Korbball, Fußball, Volleyball, Handball
Englisch, Chinesisch, Spanisch, Portugiesisch
das Rathaus, das Postamt, der Bahnhof, die Volkshochschule
das Papier, die Dampfmaschine, die Glühbirne, das Telefon
der Löwe, der Tiger, der Leopard, der Gepard

17
Neue Bundesländer:
Brandenburg → Potsdam
Mecklenburg-Vorpommern → Schwerin
Sachsen → Dresden
Sachsen-Anhalt → Magdeburg
Thüringen → Erfurt

Alte Bundesländer:
Baden-Württemberg → Stuttgart
Bremen → Bremen
Bayern → München
Berlin → Berlin
Hamburg → Hamburg
Hessen → Wiesbaden
Niedersachsen → Hannover
Nordrhein-Westfalen → Düsseldorf
Rheinland-Pfalz → Mainz
Saarland → Saarbrücken
Schleswig-Holstein → Kiel

Die Bundesrepublik hat eine FOEDERALISTISCHE Struktur. In den Landeshaupt-
städten haben die LANDESREGIERUNGEN ihren Sitz.

19
1. die Änderung – verändern – Seine Handschrift ist verändert. 2. die Arbeit – verar-
beiten – Die Möbel sind schlecht verarbeitet. 3. die Blüte – verblühen – Ihre Schönheit ist verblüht. 4. das Blut – verbluten – Der Verletzte ist verblutet. 5. der Brand –
verbrennen – Das Papier ist verbrannt. 6. die Buße – verbüßen – Die Haftstrafe ist
verbüßt. 7. der Dampf – verdampfen – Das Wasser ist verdampft. 8. der Dunst –
verdunsten – Der Alkohol ist verdunstet. 9. der Durst – verdursten – Die Blume ist
verdurstet. 10. die Ebbe – verebben – Der Lärm ist verebbt. 11. das Ende – veren-
den – Das angefahrene Reh ist verendet. 12. das/der Erbe – vererben – Die Nase
ist vererbt. 13. der Film – verfilmen – Der Roman ist verfilmt. 14. das Gift – vergiften
– Der Apfel ist vergiftet. 15. der Hunger – verhungern – Der Gefangene ist verhungert. 16. der Kalk – verkalken – Sein Gehirn ist verkalkt. 17. der Klang – verklingen
– Die Melodie ist verklungen. 18. der Krüppel – verkrüppeln – Seine Hand ist ver-
krüppelt. 19. die Narbe – vernarben – Die Wunde ist vernarbt. 20. der Regen – ver-
regnen – Dieses Wochenende ist total verregnet. 21. der Riegel – verriegeln – Die
Tür ist verriegelt. 22. der Rost – verrosten – Der Nagel ist verrostet. 23. das Salz –
versalzen – Die Suppe ist versalzen. 24. der Schlaf – verschlafen – Das Dorf ist verschlafen. 25. der Schmutz – verschmutzen – Der Boden ist verschmutzt. 26. das
Siegel – versiegeln – Die Wohnung ist versiegelt. 27. die Speise – verspeisen – Der
Kaviar ist schon verspeist. 28. die Sperre – versperren – Die Ausfahrt ist versperrt.
29. der Stein – versteinern – Die Muschel ist versteinert. 30. die Steuer – versteuern
– Alle Einkünfte sind versteuert. 31. der Tausch – vertauschen – Das Gepäck ist ver-
tauscht. 32. der/das Teil – verteilen – Die Bonbons sind verteilt. 33. die Trockenheit
– vertrocknen – Der Boden ist vertrocknet. 34. der/die Waise – verwaisen – Der Ort
ist verwaist. 35. das Wasser – verwässern – Der Wein ist verwässert. 36. die Witwe
– (verwitwen) – Die Frau ist verwitwet. 37. die Wunde – verwunden – Der Soldat ist
verwundet. 38. die Wüste – verwüsten – Das Land ist verwüstet. 39. der Zoll – ver-
zollen – Die Zigaretten sind verzollt.

20
eßbar sind: Steinpilz und Schimmelpilz (im Käse)

21
Eichenblatt, Buchenblatt, Weinblatt, Kleeblatt

22
Himmelbett, Wasserbett, Ehebett

23
Ein Masochist ist jemand, der sich selbst gern Schmerz zufügt.
Ein Pessimist ist jemand, der immer nur schwarzsieht.
Ein Pianist ist jemand, der Klavier spielt.
Ein Germanist ist jemand, der germanische Sprachen studiert hat.
Ein Internist ist jemand, der in der inneren Medizin arbeitet.
Ein Egoist ist jemand, der nur an sich selbst denkt.

Ein Rassist ist jemand, der seine eigene Rasse für die beste hält.
Ein Terrorist ist jemand, der Schrecken verbreitet, um politische Ziele zu erreichen.

24
Man kann nur auf einem O-Bein, X-Bein oder Holzbein stehen.

25
1. Anschrift   2. Aufschrift
1. Gegensatz   2. Gegenteil
1. Fernsehen   2. Fernseher
1. Weinflasche   2. Flasche Wein
1. Ernährung   2. Lebensmittel   3. Nahrung   4. Grundnahrungsmitteln
1. Schulden   2. Schuld
1. Worten   2. Wörter

26
Aus Getreide wird Mehl gemacht. Aus Obst wird Saft gemacht. Aus Milch wird Butter gemacht. Aus Ton werden Krüge gemacht. Aus Erdöl wird Benzin gemacht. Aus Tierhaut wird Leder gemacht. Aus Tabak werden Zigarren gemacht. Aus Stoff werden Kleider gemacht. Aus Pappe werden Kartons gemacht. Aus Leder werden Handtaschen gemacht. Aus Glas werden Gläser gemacht. Aus Holz werden Möbel gemacht. Aus Gold wird Schmuck gemacht.

27
1. Die Hose war zu lang. Sie ist gekürzt worden. 2. Der Pulli war zu schmutzig. Er ist gewaschen worden. 3. Das Stromkabel war zu kurz. Es ist verlängert worden. 4. Mein Hemd war zu faltig. Es ist gebügelt worden. 5. Die Suppe war zu heiß. Sie ist umgerührt worden. 6. Das Fleisch war zu roh. Es ist gebraten worden. 7. Der Kaffee war zu stark. Er ist verdünnt worden. 8. Seine Sprachkenntnisse waren zu schlecht. Sie sind verbessert worden. 9. Die Dichtung war zu alt. Sie ist erneuert worden. 10. Die Milch war zu kalt. Sie ist erwärmt worden. 11. Das Foto war zu klein. Es ist vergrößert worden. 12. Das Krankenzimmer war zu hell. Es ist verdunkelt worden.

28
1. Grillen zirpen   2. Katzen miauen   3. Ziegen meckern   4. Gänse schnattern
5. Schweine grunzen   6. Elefanten trompeten   7. Schlangen zischen   8. Löwen brüllen   9. Vögel singen   10. Pferde wiehern   11. Schafe blöken   12. Hunde bellen
13. Bienen summen   14. Hähne krähen   15. Hühner gackern

29
Aus einem Fohlen wird ein Pferd; aus einem Küken wird ein Huhn; aus einem Zicklein wird eine Ziege; aus einem Lamm wird ein Schaf; aus einem Kalb wird eine Kuh; aus einem Welpen wird ein Hund; aus einem Kätzchen wird eine Katze; aus einem Ferkel wird ein Schwein.

30
1. Rabe   2. Mücke, Elefanten   3. Ente   4. Bären   5. Kuhhaut   6. Löwen   7. Schwein
8. Vogel   9. Katze   10. Fuchs   11. Floh   12. Wolf   13. Frosch   14. Fliege   15. Gans
16. Hahn   17. Pudel   18. Bock   19. Kuckuck   20. Sau

31
1. die Beschäftigung mit einem Hobby 2. der Dank für die Unterstützung 3. die Bitte um Antwort 4. die Entschuldigung für das Versehen 5. die Entscheidung über die Investition 6. die Entwicklung zur Katastrophe 7. die Erinnerung an den Urlaub 8. der Gedanke an die Zukunft 9. der Hinweis auf Komplikationen 10. das Interesse an Neuerungen 11. die Neigung zu Wutausbrüchen 12. der Protest gegen Subventionskürzungen 13. die Sorge um die Preisentwicklung 14. die Teilnahme an der Veranstaltung 15. die Überweisung auf das Girokonto 16. die Wahl zum Präsidenten 17. der Zweifel an der Zeugenaussage

32
1. zum 2. auf 3. über 4. um 5. nach 6. zu 7. zum 8. nach 9. auf 10. vor 11. an 12. an 13. in 14. gegenüber 15. nach 16. an

33
1. die Achtung vor den Eltern 2. die Forderung nach Gerechtigkeit 3. die Diskussion über Erziehungsmethoden 4. die Liebe zur Kunst 5. die Entscheidung über die Frage 6. die Hoffnung auf eine gute Ernte 7. das Gespräch mit alten Bekannten 8. der Antrag auf eine Aufenthaltserlaubnis 9. der Gruß an die Bekannten 10. die Verabschiedung von den Gästen

34
1. Er starb an einer schweren Blutvergiftung. 2. Nach der Dopingkontrolle durfte er nicht weiter an den Olympischen Spielen teilnehmen. 3. Ich schreibe an meinen besten Geschäftspartner. 4. Man wird sich an höhere Mietpreise gewöhnen müssen. 5. Die Wissenschaft stößt an ihre bisherigen Grenzen. 6. Ich zweifle nicht an deiner guten Absicht. 7. Mein Kind hat sich an der scharfen Tischkante gestoßen. 8. Man erkannte ihn schon aus der Ferne an seinem schwerfälligen Gang. 9. Ich glaube nicht an den vorausgesagten Untergang des Abendlandes. 10. Bitte sende das Schreiben an alle unsere Filialen. 11. Am besten wendest du dich an unseren gewählten Betriebsrat. 12. Richte den Brief an die Geschäftsleitung! 13. Ich erinnere mich noch gut an meinen ersten Kuß. (Erzählen Sie.)

Dativ:		**Akkusativ:**		
	sterben an		schreiben an	senden an
	teilnehmen an		sich gewöhnen an	sich wenden an
	zweifeln an		stoßen an	richten an
	erkennen an		glauben an	sich erinnern an

35
1. abseits der überfüllten Autobahn 2. anhand meiner gemachten Aufzeichnungen 3. anstelle vergeudeter Investitionen 4. diesseits des umkämpften Gebiets 5. infolge des nicht erkannten Herzinfarkts 6. inmitten tanzender Leute 7. innerhalb der gesetzten Frist 8. jenseits des reißenden Flusses 9. beiderseits der errichteten Mauer 10. oberhalb der zugeschneiten Täler 11. östlich der vereinbarten Oder-Neiße-Linie 12. seitlich des bebauten Grundstücks 13. unterhalb der leuchtenden Gipfel 14. zugunsten der lachenden Erben 15. zuungunsten des abgewiesenen Bewerbers

36

1. über 2. für, um, von, auf 3. von, auf 4. per 5. Bei, in, von 6. Innerhalb, auf 7. Vor, zum 8. Um 9. unter, gegenüber 10. Auf, auf, mit 11. Auf, in, auf 12. am, aus, über 13. Mit, während, an 14. Außerhalb 15. Zur 16. Für, im 17. auf, auf 18. Wegen, außer

37

1. Wir freuen uns auf unseren Urlaub. 2. Er freut sich über das Geschenk, das er bekommen hat. 3. Das Segelboot geriet in einen schweren Sturm. 4. Er geriet bei mir an die falsche Adresse. 5. Sie ist auf die schiefe Bahn geraten. 6. Der Patient leidet an den Folgen der Verbrennungen. 7. Das Kind leidet unter der autoritären Erziehung seiner Eltern. 8. Ich halte ihn für einen fairen Spieler. 9. Was hältst du von meiner Idee? 10. Unser Chef hält sehr auf Pünktlichkeit im Büro. 11. Er versteht sich gut mit seiner Freundin. 12. Unter moderner Unterhaltungsmusik versteht man Schlager, Rockmusik, Chansons, Popmusik und Folklore. 13. Die Sozialarbeiterin versteht sich gut auf den Umgang mit behinderten Kindern. 14. Ich verstehe nicht viel von Astronomie. 15. Die Halskette besteht aus reinem Gold. 16. Seine Tätigkeit besteht in der Ausbildung der Lehrlinge. 17. Bitte überweisen Sie den Betrag auf mein Konto. 18. Der Arzt hat den Patienten an einen Facharzt überwiesen. 19. Ein Geschiedener muß für den Unterhalt seiner Kinder sorgen. 20. Man muß sich um das Wachstum der Weltbevölkerung sorgen.

38

1. miteinander 2. aufeinander 3. miteinander 4. beieinander 5. ineinander 6. miteinander 7. auseinander 8. aufeinander 9. voreinander 10. füreinander, zueinander 11. zueinander 12. durcheinander

39

die Treue zur Firma – den Mut zu unkonventionellen Lösungen – den Glauben an das Leistungsprinzip – den Stolz auf das Erreichte – den Reichtum an Ideen – die Sorge um die bleibende Qualität – den Verzicht auf Sonderurlaub – die Hoffnung auf eine Beförderung – das Verständnis für seine Kollegen – der Einsatz für seine Abteilung – die Einsicht in die Notwendigkeit des Personalabbaus

Die Kollegen wußten natürlich Bescheid über seinen Mangel an Durchsetzungsvermögen – seinen Hang zur Unpünktlichkeit – seine Neigung zum Trinken – sein Interesse an der Chefsekretärin – seine Eifersucht auf den Chef – seine Wut auf den Lehrling – seine Angst vor einer Strafversetzung – seinen Ärger über die Gehaltskürzung.

Es herrschte Trauer um einen lieben Kollegen.

40

1. gemacht 2. tun 3. tut 4. tut 5. machen 6. machen 7. gemacht 8. machen 9. gemacht 10. Tu, machen 11. macht 12. tun 13. tun 14. machen 15. machen 16. Mach(t) 17. getan 18. tun 19. tut 20. machten

41

1. die verkaufte Braut 2. die gestohlenen Juwelen 3. die geschnittene Tomate 4. das geschlachtete Rind 5. der gefangene Fisch 6. die angebrannte Suppe 7. die geschälten Kartoffeln 8. die geriebenen Möhren 9. die gesalzenen Preise 10. die

angelassenen Triebwerke 11. die wiedergefundene Brille 12. der erstattete Kaufpreis 13. die verpackte Ware 14. der gefällte Baum 15. der dressierte Tiger 16. das geschlossene Tor 17. der abgerissene Knopf 18. die gemolkenen Kühe 19. die ausgetrunkene Flasche 20. das gepflügte Feld 21. das gegebene Versprechen 22. die mitgebrachten Butterbrote

42
1. die steigenden Energiepreise 2. die schwindenden Hoffnungen 3. die zunehmenden Flüchtlingsströme 4. die explodierenden Mieten 5. die sinkenden Steuereinnahmen 6. die anstrengenden Dienstreisen 7. ein schwankender Wechselkurs 8. die regierende Partei 9. die fallenden Erträge 10. ein tropfender Wasserhahn

43
1. diese andauernden Streitigkeiten 2. den protestierenden Studenten 3. unsere bleibenden Erinnerungen 4. wachsende Kritik 5. etliche kichernde Mädchen 6. einige beängstigende Entwicklungen 7. ein zu lösendes Problem 8. treffende Bemerkungen 9. mit dem behandelnden Arzt 10. für reißenden Absatz 11. bei anhaltendem Westwind 12. die galoppierende Inflation 13. mit einem weinenden und einem lachenden Auge 14. dieses strahlende Lächeln 15. kochendes Wasser 16. viele anregende Gespräche 17. alle schreienden Kinder 18. mehrere sich widersprechende Aussagen 19. mit einem überraschenden Sieg 20. die sich wiederholenden Aufgaben 21. einige in der Schlange stehende Kunden 22. viele vorkommende Rohstoffe 23. in den laufenden Verhandlungen

44
1. Den Drucker, der repariert worden war, holte er mit seinem Wagen ab. 2. Die Kinder, die geimpft worden waren, überlebten die Krankheit. 3. Das Buch, das geliehen worden war, wurde zurückgegeben. 4. Der Nichtschwimmer, der gerettet worden war, überlebte. 5. Die Studenten solidarisierten sich mit den Fabrikarbeitern, die ausgesperrt worden waren. 6. Der Lehrer fragte den Unterrichtsstoff ab, der behandelt worden war.

45
Die Versicherung ist abgeschlossen worden. Die Bewerbung ist eingereicht worden. Die Gehälter sind erhöht worden. Die Mehrwertsteuer ist angehoben worden. Die Zinsen sind gesenkt worden. Die Banken sind geschlossen worden. Der Betriebsrat ist gewählt worden. Die Dividende ist ausgeschüttet worden. Die Mauer ist errichtet worden. Die Hundebabys sind ertränkt worden. Die Tafel ist sauber gewischt worden. Die Filiale ist eröffnet worden. Die Anschrift ist geändert worden. Der Kühlschrank ist abgetaut worden. Der Reifen ist geflickt worden.

46
1. Es sind ja auch viele Bäume gepflanzt worden. 2. Es sind ja auch die Fassaden gestrichen worden. 3. Es sind ja auch Dämme errichtet worden. 4. Es sind ja auch die Grenzkontrollen aufgehoben worden. 5. Es ist ihm ja auch eine Blutübertragung gegeben worden. 6. Es sind ja auch mehr Lehrer eingestellt worden. 7. Es ist ja auch das U-Bahn-Netz ausgebaut worden. 8. Es ist ja auch der Deutschunterricht intensiviert worden. 9. Es sind ja auch mehr Polizisten eingesetzt worden.

47

1. Die Tauben hätten nicht gefüttert werden dürfen. 2. Nachts hätte kein Damenbesuch empfangen werden dürfen. 3. Die Blumentöpfe hätten nicht auf das äußere Fensterbrett gestellt werden dürfen. 4. Das Fahrrad hätte nicht im Zimmer untergestellt werden dürfen. 5. Die Wäsche hätte sonntags nicht auf dem Balkon aufgehängt werden dürfen. 6. Haustiere hätten von Ihnen nicht angeschafft werden dürfen. 7. Feten hätten nicht bis spät in die Nacht gefeiert werden dürfen. 8. Die Badewanne hätte häufiger geputzt werden müssen. 9. Die Haustür hätte immer abgeschlossen werden müssen. 10. Die Herdplatte hätte nicht angelassen werden dürfen. 11. Wodka hätte nicht ins Aquarium geschüttet werden dürfen. 12. Die Miete hätte pünktlicher überwiesen werden müssen.

48

1. Der Dirigent hatte einen Schwächeanfall. Das Konzert hatte abgebrochen werden müssen. 2. Der Dichter hat sich verspätet. Die Lesung hatte später begonnen werden müssen. 3. Die Sekretärin war schwanger. Eine Vertretung hatte eingestellt werden müssen. 4. Das Abendkleid war fleckig. Es hatte zur Reinigung gebracht werden müssen. 5. Der Politiker war heiser. Die Rede hatte unterbrochen werden müssen. 6. Der Mittelstürmer war verletzt. Der Mannschaftsarzt hatte herbeigerufen werden müssen. 7. Das Beweismaterial war verschwunden. Die Gerichtsverhandlung hatte vertagt werden müssen. 8. Das Unfallopfer war eingeklemmt. Die Autokarosserie hatte aufgeschnitten werden müssen. 9. Die Braut war unentschlossen. Die Hochzeit hatte verschoben werden müssen. 10. Die Expeditionsmannschaft war verschollen. Eine Suchaktion hatte ausgelöst werden müssen.

49

1. Die Sturmschäden wurden repariert. 2. Die Zahlen wurden addiert. 3. Die Akten wurden verbrannt. 4. Die Flugblätter wurden gedruckt. 5. Das Pharaonengrab wurde gefunden. 6. Der Asylant wurde anerkannt. 7. Der Gipfel wurde bestiegen. 8. Seine Unschuld wurde bewiesen. 9. Die Kosten wurden aufgewendet. 10. Das Endspiel wurde übertragen. 11. Die Spione wurden ausgetauscht. 12. Der Täter wurde beschrieben. 13. Die Bedingungen wurden angenommen. 14. Die Muskulatur wurde massiert. 15. Die Kohle wurde exportiert. 16. Die Pfandgebühr wurde rückerstattet. 17. Der Patient wurde hypnotisiert. 18. Die Schulabgänger wurden entlassen. 19. Der Beamte wurde bestochen. 20. Der Zeuge wurde vernommen. 21. Das Gesetz wurde angewendet.

50

1. ist nicht zu befahren 2. ist nicht zu bezahlen 3. ist nicht vorherzusehen 4. ist nicht einzunehmen 5. sind nicht aufzufinden 6. ist nicht zu entschuldigen 7. ist nicht zu überwinden 8. ist nicht zu bezwingen 9. ist nicht abzuwenden 10. ist nicht zu widerlegen 11. ist er nicht zu genießen 12. sind nicht zu durchschauen

51

1. unbezweifelbar 2. unstillbar 3. unaustilgbar 4. unüberbrückbar 5. unausrottbar 6. unbemerkbar 7. unnachahmbar 8. unbezahlbar 9. unabsehbar 10. unverwechselbar 11. unvereinbar 12. unbrauchbar 13. unüberhörbar 14. undefinierbar

52

1. Trotz der Kälte hatte sie nur ein dünnes T-Shirt an. – Es war kalt. Trotzdem hatte ...
2. Trotz der guten Bezahlung arbeitet er kaum. – Er wird gut bezahlt. Trotzdem arbeitet ...
3. Trotz seiner Müdigkeit fährt er mit dem Auto. – Er ist müde. Trotzdem fährt ...
4. Trotz seines Geizes spendiert er mir ein Abendessen. – Er ist geizig. Trotzdem spendiert ...
5. Trotz seines geringen Verdienstes reist er um die ganze Welt. – Er verdient wenig. Trotzdem reist ...
6. Trotz der planmäßigen Abfahrt hatte der Eurocity Verspätung. – Der Eurocity war planmäßig abgefahren. Trotzdem hatte ...
7. Trotz seines Krebsleidens wurde er geheilt. – Er litt an Krebs. Trotzdem wurde ...
8. Trotz der friedlichen Demonstration der Studenten griff die Polizei ein. – Die Studenten demonstrierten friedlich. Trotzdem griff ...
9. Trotz einer genauen Beschreibung des Bankräubers konnte er nicht gefaßt werden. – Der Bankräuber wurde genau beschrieben. Trotzdem konnte ...
10. Trotz der pünktlichen Überweisung des Rechnungsbetrags bekam ich eine Mahnung. – Ich hatte den Rechnungsbetrag pünktlich überwiesen. Trotzdem bekam ...
11. Trotz unserer dringenden Bitte um Hilfe hat er uns im Stich gelassen. – Wir hatten ihn dringend um Hilfe gebeten. Trotzdem hat ...

53

1. Trotz des Schneefalls fährt er mit Sommerreifen. 2. Trotz des Rauchverbots durch den Arzt raucht er eine Packung Zigaretten täglich. 3. Trotz der warmen Kleidung habe ich mich erkältet. 4. Trotz des Ausbaus des Verkehrsnetzes bekommen wir immer größere Verkehrsprobleme. 5. Trotz des Einsatzes von Computern konnten wir keine Mitarbeiter einsparen. 6. Trotz seiner vielen Einwände konnte er kein Gehör finden. 7. Trotz des Bankrotts hat er eine neue Firma gegründet.

54

1. Sein Arbeitszimmer gleicht einem Schlachtfeld. 2. Die Einzelheiten entnehmen Sie bitte dem beiliegenden Prospekt. 3. Seine Karriere verdankt er seinem Fleiß und seiner Ausdauer. 4. Der Schuldner kam seinen Zahlungsverpflichtungen nicht nach. 5. Die Kinder sahen dem Bagger beim Ausschachten zu. 6. Wir schreiben den Verkaufserfolg unserer letzten Werbekampagne zu. 7. Der Verteidiger hat dem Angeklagten in der Verhandlung beigestanden. 8. Der wirtschaftliche Aufschwung ist den neuen Bundesländern gelungen. 9. Die Subventionierung der Erzeugerpreise nützt den Bauern. 10. Passives Rauchen schadet der Gesundheit. 11. Der Redner dankte den Zuhörern für ihre Aufmerksamkeit.

55

1b, 2c, 3j, 4l, 5p, 6o, 7i, 8k, 9d, 10m, 11n, 12f, 13h, 14e, 15g, 16a

Reihe VI: Ausländer und Deutsche

Auf Cassette wurden folgender Text und folgende Übungen aufgenommen:

Deutsche in Ost und West (S. 221–223)
Übung: Ländernamen (S. 233)
Übung: Miteinander (S. 238)

S. 227

Zu den **Verben mit Präpositionen** vergleichen Sie: Schulz/Griesbach, S. 243f.; Helbig/Buscha, S. 59ff.; Duden S. 498ff.; Dreyer/Schmitt, S. 66ff. (Neubearbeitung S. 70ff.)

Verben mit Präpositionen

2. führen zu 3. betrachten als 4. verteidigen gegen 5. bezeichnen als 6. mangeln an 7. abhängig sein von 8. zunehmen um 9. einbeziehen in 10. helfen bei 11. verpflichten zu 12. werden zu 13. denken an 14. rechnen mit

S. 229

§ 14 Ausländergesetz (Fachtext-Umformung)

Es ist nicht legal, einen Ausländer in einen Staat abzuschieben, wo sein Leben oder seine Freiheit wegen seiner Rasse, seines Glaubens, seiner Staatsangehörigkeit, seiner Zugehörigkeit zu einer bestimmten sozialen Gruppe oder wegen seiner politischen Überzeugung bedroht ist. Dies hat keine Gültigkeit für einen Ausländer, der aus schwerwiegenden Gründen eine Gefahr für die Sicherheit bedeutet oder gefährlich für die Allgemeinheit ist, weil er als Schwerverbrecher rechtskräftig verurteilt wurde.

Verben mit Präpositionen

leiden an D	(einer Krankheit)
glauben an A	(das Gute im Menschen)
an/knüpfen an A	(eine Bemerkung)
appellieren an A	(die Vernunft)
erkennen an D	(der Frisur)
teil/haben an D	(dem Ereignis)
teil/nehmen an D	(der Versammlung)
interessiert sein an D	(seinem Hobby)
mangeln an D	(gutem Willen)
schreiben an A	(die Freundin)
sterben an D	(den Unfallfolgen)
mit/wirken an D	(dem Theaterstück)
hängen an D	(der Familie)
zerbrechen an D	(der Enttäuschung)
zweifeln an D	(der Atomtechnik)

ändern an D	(der Situation)
beteiligt sein an D	(dem Aktienpaket)
sich erinnern an A	(seine erste Liebe)
arbeiten an D	(einem neuen Buch)

Bilden Sie Sätze

1. Viele Gastarbeiter leiden an Heimweh.
2. Sie hängen an ihrer Heimat und zerbrechen manchmal an der Gefühlskälte in Deutschland.
3. Keiner stirbt in Deutschland am (an) Hunger, aber mancher leidet an (unter) der Isolation oder an (unter) Vorurteilen.
4. Es mangelt an Verständnis auf beiden Seiten.
5. Es ist ein Vorurteil, daß Ausländer mehr an Gewaltverbrechen beteiligt sind als Deutsche.
6. Deutsche und Ausländer arbeiten ohne Probleme an denselben Maschinen.
7. Ausländische Frauen haben oft nicht am öffentlichen Leben teil.
8. Sie glauben an ihre Werte und knüpfen an heimatliche Traditionen an.
9. Man erkennt sie manchmal an der bunten Kleidung oder an den Kopftüchern.
10. Viele Deutsche zweifeln an der Möglichkeit einer Integration der Gastarbeiter und wollen an der Situation nichts ändern.
11. Andere wirken an (bei) deutsch-ausländischen Festen mit und nehmen an Folklore und Tanz teil.
12. Andere appellieren an die Toleranz der Bevölkerung und schreiben beispielsweise einen Leserbrief an die Zeitung.
13. Die Ausländerfeindlichkeit erinnert an die Zeit des Dritten Reiches.
14. Deutschland trägt noch heute schwer an der dunkelsten Epoche seiner Geschichte.
15. Die meisten Deutschen sind am guten Zusammenleben mit ihren ausländischen Gästen interessiert.

S. 230

Umwandlungsübung

1. an der Einsamkeit leiden 2. an die Vernunft appellieren 3. an die Wahrheit glauben 4. an Veranstaltungen teilnehmen 5. an der Kultur interessiert sein 6. sich an die Familie erinnern 7. an Geld mangeln 8. an einem Fließband arbeiten 9. an die Behörde schreiben 10. an seinen Fähigkeiten zweifeln 11. an einem Projekt mitwirken

Lückentest

darf, werden, sein, zu, Überzeugung, gilt, für, Gründen, für, für, Verbrechens, wurde

S. 233

Quiz: Genus der Länder

der	Irak, Sudan, Vatikan, Libanon
die	Schweiz, Tschechoslowakei, Mongolei, Türkei, Bundesrepublik
die	USA, Vereinigten Staaten, Niederlande, Philippinen

S. 234

Nationalitäten
die ersten beiden Spalten haben die Endung -*e,* die dritte und vierte Spalte haben die Endung -*er.*

Bilden Sie den Plural
Holländer, Europäer, Kanadier, Vietnamesen, Chinesen, Brasilianer, Belgier, Russen, Asiaten, Spanier, Afrikaner, Südamerikaner, Polen, Dänen, Österreicher, Franzosen, Deutsche(n)

Denksportaufgabe
Um die Denksportaufgabe zu lösen, schreibt man am besten alle Merkmale, die man jedem Haus zuordnen kann, in eine Tabelle:

grau	gelb	grün
Amerikaner	Holländer	Schweizer
MERCEDES	VW	Ford
Bratwürste	Fisch	Sauerbraten
Bungalow	Reihenhaus	Hochhaus

weiß	rot
Franzose	Chinese
Porsche	Audi
Schweinshaxe	VEGETARIER
Fachwerkhaus	Villa

Der Chinese ist Vegetarier. Der Amerikaner hat falsch geparkt.

S. 235

Vokabeltest

Sprache	Land	männlich	weiblich
russisch	Rußland	Russe	Russin
französisch	Frankreich	Franzose	Französin
holländisch/französisch	Belgien	Belgier	Belgierin
dänisch	Dänemark	Däne	Dänin
spanisch	Spanien	Spanier	Spanierin
holländisch	Holland	Holländer	Holländerin
portugiesisch	Portugal	Portugiese	Portugiesin
chinesisch	China	Chinese	Chinesin
englisch	die USA	Amerikaner	Amerikanerin
polnisch	Polen	Pole	Polin
schwedisch	Schweden	Schwede	Schwedin

S. 237

Setzen Sie die Präposition ein
sich mit mir unterhalten; mit mir arbeiten; sich um mich kümmern; auf mich Rücksicht nehmen; an mich denken; über meine Probleme Bescheid wissen; zu mir halten; mit mir sprechen

S. 238

Sprechübung *Miteinander*

Beispiel: Man sollte mehr mit Ausländern arbeiten.
　　　　Es ist wichtig, miteinander zu arbeiten.
1. Man sollte mehr mit Ausländern sprechen.
2. Man sollte mehr von Ausländern wissen.
3. Man sollte mehr zu Ausländern halten.
4. Man sollte mehr für Ausländer eintreten.
5. Man sollte mehr für Ausländer sorgen.
6. Man sollte mehr Rücksicht auf Ausländer nehmen.
7. Man sollte mehr an Ausländer denken.
8. Man sollte mehr über Ausländer nachdenken.

Lösungen:
1. ..., miteinander zu sprechen. 2. ..., mehr voneinander zu wissen. 3. ..., zueinander zu halten. 4. ..., füreinander einzutreten. 5. ..., füreinander zu sorgen. 6. ..., aufeinander Rücksicht zu nehmen. 7. ..., aneinander zu denken. 8. ..., übereinander nachzudenken.

Stammtisch: *Hören, verstehen, argumentieren*
1. Den Ausländern geht's viel zu gut. Die leben doch vom Kindergeld. Da brauchen die gar nicht mehr arbeiten zu gehen.
2. Meine Tochter ist in der Schule sitzengeblieben. Das kommt daher, daß viel zu viele Türkenkinder in der Klasse sind. Da kann die ja nichts lernen.
3. Mir haben die Türken den Arbeitsplatz weggenommen. Die sollte man nach Hause schicken, dann hätten wir genug Arbeit.
4. Meine Frau traut sich ja abends nicht mehr allein auf die Straße. Da muß man ja Angst haben, daß mal so einer mit'm Messer was von ihr will.
5. Bei uns hat sich so'n Ausländer das ganze Mietshaus gekauft. Und jetzt klagt er auf Eigenbedarf und will in meine Wohnung einziehen. Das wär' ja noch schöner. So weit kommt das noch!

Umwandlungsübung
1. der Zweifel an den Möglichkeiten 2. das Interesse an der Kultur 3. der Glaube an die Gerechtigkeit 4. die Erinnerung an die schöne Zeit 5. der Appell an die Toleranz 6. der Mangel an Trinkwasser 7. die Teilnahme an einem Sprachkurs 8. das Schreiben an die Behörde 9. die Mitwirkung an einem Projekt 10. die Beteiligung an einer guten Sache 11. das Leiden an einer Krankheit 12. die Arbeit an Reformen

S. 239

Spezielle Pluralformen
1. der Bau 2. der Kaufmann 3. das Thema 4. der Regen 5. der Streit 6. das Komma 7. das Lexikon 8. das Fotoalbum 9. der Rhythmus 10. das Abstraktum 11. das Visum 12. das Material 13. der Atlas 14. der Kaktus/die Kaktee 15. das Gymnasium 16. das Museum 17. die Firma 18. die Villa 19. das Konto 20. das Individuum

Lassen Sie noch einmal umgekehrt den Plural bilden.

S. 241ff. Weitere Übungen

8

die Trompete, die Posaune, die Flöte, das Saxophon
die Kirsche, die Erdbeere, die Pflaume, die Traube
der Jupiter, die Venus, der Mars, der Saturn
die Couch, der Sessel, das Bücherregal, der Fernseher
die Sparsamkeit, die Geduld, der Fleiß, die Gastfreundschaft
der Geiz, die Ungeduld, die Faulheit, das Rauchen
der Apfel, der Pfirsich, die Birne, die Aprikose
die Tanne, die Lärche, die Fichte, die Kiefer
die Pythonschlange, der Eisbär, der Panther, das Nashorn
die Mücke, die Fliege, die Biene, die Wespe
das Segelflugzeug, der Motordrachen, der Jet, der Doppeldecker
der Schwager, der Cousin, der Neffe, der Onkel
der Adler, der Spatz, der Storch, der Flamingo
der Hammer, die Zange, die Axt, die Säge
die AG, die OHG, die GmbH, die KG
der Frühling, der Sommer, der Herbst, der Winter

9

Ich befahre einen Feldweg.
Ich erfahre eine Neuigkeit.
Ich habe mich in dem unbekannten Gebiet verfahren.
Er wirkt zerstreut und zerfahren.
Er umfährt das Denkmal mit seinem Rad.

10

die Attraktion, -en; das Jahrhundert, -e; das Tuch, ¨er; die Autotour, -en; der Apfel, ¨; der Katholik, -en; das Studienfach, ¨er; die Ortschaft, -en; der Brauch, ¨e; die Tradition, -en; das Ideal, -e; der Staat, -en; die Stadt, ¨e; die Provinz, -en; der See, -n; das Plakat, -e; der Teppich, -e; der Sack, ¨e; das Faß, ¨sser; das Dokument, -e; die Vorschrift, -en; der Mantel, ¨; der Anzug, ¨e; die Zeitschrift, -en; der Analphabet, -en; das Projekt, -e; der Augenblick, -e; der Vorteil, -e; der Gewinn, -e; der Verlust, -e;

11

Sie mag (verehrt/umarmt/himmelt ... an/denkt ständig an) ...
einen Griechen, einen Portugiesen, einen Jugoslawen, einen Finnen, einen Schweden, einen Russen, einen Polen, einen Tschechen, einen Deutschen.

Sie flirtet/telefoniert mit ...
einem Griechen, einem Portugiesen, einem Jugoslawen, einem Finnen, einem Schweden, einem Russen, einem Polen, einem Tschechen, einem Deutschen.

12

1. Hasen 2. Neffen, Junggesellen 3. Studenten, Herzen 4. Kollegen, Theologen 5. Namen, Franzosen 6. Glauben, Frieden 7. Willen, Menschen 8. Gedanken, Artisten 9. Juristen, Nachbarn 10. Planeten, Jungen 11. Herrn, Bauern

13

1. auf meiner vorherigen Stelle 2. die damalige Freundin 3. mit seinen ehemaligen Klassenkameraden 4. die sofortige Notoperation 5. meine derzeitigen Absichten 6. meine heutigen Pläne 7. mit seinem nochmaligen Versuch 8. alle bisherigen Ergebnisse 9. die dortige Situation 10. das hiesige Gymnasium 11. der morgige Besuch 12. der erstmalige Lottogewinn 13. eine nochmalige Frage

15

1. wortlos 2. arbeitslos 3. erbarmungslos 4. bedeutungslos 5. nutzlos 6. kostenlos 7. zwanglos 8. grenzenlos 9. friedlos 10. ergebnislos

17

1. fahrplanmäßig 2. aussichtslos 3. vorschriftsmäßig 4. rechtmäßige 5. altersmäßige 6. bedingungslos 7. rücksichtsloses 8. gefühlsmäßige 9. regelmäßige 10. gewohnheitsmäßig 11. kinderlos 12. ahnungslos 13. saumäßig 14. verantwortungslos 15. hoffnungslos

18

1. Die Aktion „Saubere Umwelt" soll gestartet werden. 2. Das neue Gymnasium soll eingeweiht werden. 3. Die Goethe-Medaille soll übergeben werden. 4. Der Abgeordnete soll zum Vizepräsidenten ernannt werden. 5. Die baufälligen Häuser sollen abgerissen werden. 6. Der Bunker soll gesprengt werden. 7. Die Olympischen Spiele sollen eröffnet werden. 8. Ein Literaturpreisträger soll geehrt werden. 9. Das neue Studentenwohnheim soll übergeben werden. 10. Ein Mahnmal für die Opfer des Faschismus soll errichtet werden. 11. Das alte Stadttheater soll wieder eröffnet werden. 12. Die Sammlung „altägyptische Kunst" soll in dieser Woche ausgestellt werden. 13. Ein Film soll im Zoo-Palast uraufgeführt werden.

19

1. Die Aktion „Saubere Umwelt" ist gestartet worden. 2. Das neue Gymnasium ist eingeweiht worden. 3. Die Goethe-Medaille ist übergeben worden. 4. Der Abgeordnete ist zum Vizepräsidenten ernannt worden. 5. Die baufälligen Häuser sind abgerissen worden. 6. Der Bunker ist gesprengt worden. 7. Die Olympischen Spiele sind eröffnet worden. 8. Ein Literaturpreisträger ist geehrt worden. 9. Das neue Studentenwohnheim ist übergeben worden. 10. Ein Mahnmal für die Opfer des Faschismus ist errichtet worden. 11. Das alte Stadttheater ist wieder eröffnet worden. 12. Die Sammlung „altägyptische Kunst" ist in dieser Woche ausgestellt worden. 13. Ein Film ist im Zoo-Palast uraufgeführt worden.

20

Hier der Kamm. Das Kind muß noch gekämmt werden. – Das hätte schon längst gekämmt werden müssen!
Hier die Creme. Das Kind muß noch eingecremt werden. – Das hätte schon längst eingecremt werden müssen!
Hier der/das Puder. Das Kind muß noch eingepudert werden. – Das hätte schon längst eingepudert werden müssen!
Hier die Badewanne. Das Kind muß noch gebadet werden. – Das hätte schon längst gebadet werden müssen!

Hier das Handtuch. Das Kind muß noch abgetrocknet werden. – Das hätte schon längst abgetrocknet werden müssen!
Hier das Jäckchen. Das Kind muß noch angezogen werden. – Das hätte schon längst angezogen werden müssen!
Hier die Waage. Das Kind muß noch gewogen werden. – Das hätte schon längst gewogen werden müssen!
Hier das Fläschchen. Das Kind muß noch gefüttert werden. – Das hätte schon längst gefüttert werden müssen!

21
Der Wasserhahn hätte noch zugedreht werden müssen! Die Steuererklärung hätte noch unterschrieben werden müssen! Die Einladung hätte noch abgeschickt werden müssen! Die Katze hätte noch versorgt werden müssen! Der Elektroherd hätte noch ausgeschaltet werden müssen! Die Nachbarn hätten noch benachrichtigt werden müssen! Die Fensterläden hätten noch geschlossen werden müssen! Die Zeitung hätte noch abbestellt werden müssen! Das Geschenk hätte noch mitgenommen werden müssen! Die Badehose hätte noch eingepackt werden müssen! Die Telefonrechnung hätte noch bezahlt werden müssen! Das Visum hätte noch beantragt werden müssen! Der Wohnungsschlüssel hätte noch beim Hausmeister abgegeben werden müssen!

22
1. Ich komme aus den USA und fahre nach Kanada. Ich bleibe nicht in Kanada, sondern fahre zurück in die USA. 2. Ich komme aus Mexiko und fahre in die Vereinigten Staaten. Ich bleibe nicht in den Vereinigten Staaten, sondern fahre zurück nach Mexiko. 3. Ich komme aus Rumänien und fahre in die Türkei. Ich bleibe nicht in der Türkei, sondern fahre zurück nach Rumänien. 4. Ich komme aus Deutschland und fahre nach Polen. Ich bleibe nicht in Polen, sondern fahre zurück nach Deutschland. 5. Ich komme aus Belgien und fahre in die Niederlande. Ich bleibe nicht in den Niederlanden, sondern fahre zurück nach Belgien. 6. Ich komme aus Ägypten und fahre nach Israel. Ich bleibe nicht in Israel, sondern fahre zurück nach Ägypten. 7. Ich komme aus Italien und fahre nach Österreich. Ich bleibe nicht in Österreich, sondern fahre zurück nach Italien. 8. Ich komme aus dem Irak und fahre in den (nach) Iran. Ich bleibe nicht im (in) Iran, sondern fahre zurück in den Irak. 9. Ich komme aus der Mongolei und fahre nach Rußland. Ich bleibe nicht in Rußland, sondern fahre zurück in die Mongolei. 10. Ich komme aus China und fahre nach Japan. Ich bleibe nicht in Japan, sondern fahre zurück nach China. 11. Ich komme von den Philippinen und fahre nach Indonesien. Ich bleibe nicht in Indonesien, sondern fahre zurück auf die Philippinen. 12. Ich komme aus der Bundesrepublik und fahre nach Frankreich. Ich bleibe nicht in Frankreich, sondern fahre zurück in die Bundesrepublik. 13. Ich komme aus Spanien und fahre nach Marokko. Ich bleibe nicht in Marokko, sondern fahre zurück nach Spanien. 14.Ich komme aus dem Sudan und fahre nach Äthiopien. Ich bleibe nicht in Äthiopien, sondern fahre zurück in den Sudan. 15. Ich komme aus der Schweiz und fahre nach Liechtenstein. Ich bleibe nicht in Liechtenstein, sondern fahre zurück in die Schweiz.

23
1. Ich halte das Rad für die größte Erfindung. 2. Der Patient bedankt sich für den Blumenstrauß. 3. Die Krankenschwester kümmert sich um den Patienten. 4. Die Hin-

terbliebenen trauern um den Toten. 5. Dieser Firmenname bürgt für Qualität. 6. Die Kinder zanken sich um das Spielzeug. 7. Die Eheleute streiten sich um das Haushaltsgeld. 8. Die UNO bemüht sich um eine Konfliktlösung. 9. Der Redner bittet um ein Glas Wasser. 10. Die Truppen kämpfen gegen die Partisanen. 11. Die Eltern sind um die Schulbildung der Kinder besorgt.

26

1. Er fordert, die Kampfhandlungen einzustellen. 2. Sie verlangt von ihm, sich schnell zu entscheiden. 3. Wir bemühen uns, die Produktion zu erhöhen. 4. Er zwingt sie, ihren Beruf aufzugeben. 5. Nach dem Segelkurs fing er an zu surfen. 6. Die Gesundheitsbehörde verbietet (es), im See zu baden. 7. Den Soldaten wird gestattet, am Wochenende heimzufahren. 8. Ich helfe gern, das Auto abzuschleppen. 9. Ich schlage vor, die Übung zu wiederholen.

27

Bei den Sätzen 1, 2, 4, 6 und 7 kann man nicht „seitdem" benutzen.

28

1. Dadurch, daß du schweigst, machst du alles noch schlimmer. 2. Dadurch, daß man regelmäßig die Bild-Zeitung liest, spart man das Abitur. 3. Dadurch, daß man die Kinder schlägt, werden sie nicht besser erzogen. 4. Dadurch, daß man per Fax bestellt, wird die Lieferzeit kürzer. 5. Dadurch, daß man das Shampoo regelmäßig gebraucht, vermeidet man Schuppenbildung. 6. Dadurch, daß alle Kräfte eingesetzt wurden, wurde die Produktivität erhöht. 7. Dadurch, daß man zuhört, erreicht man oft mehr als durch Reden. 8. Dadurch, daß man das Blut untersucht, kann man den Krankheitserreger entdecken. 9. Dadurch, daß man den Wein lagert, kann man seinen Geschmack verbessern.

29

1. Dadurch, daß man reist, erweitert man seine Allgemeinbildung. 2. Dadurch, daß man Vollkornbrot verzehrt, versorgt man den Körper mit notwendigen Vitaminen und Ballaststoffen. 3. Dadurch, daß man fossile Brennstoffe verbrennt, erhöht man den Treibhauseffekt. 4. Dadurch, daß man eine Brieffreundschaft mit einem Ausländer unterhält, erweitert man seine Sprachkenntnisse. 5. Dadurch, daß man mit Gewichten trainiert, stärkt man seine Muskeln. 6. Dadurch, daß man ein Thermostat einbaut, spart man Heizkosten.

Alle Sätze auch mit „Indem" möglich: „Indem man ..." oder mit „Durch": „Durch Reisen ..."

30

1. Indem ihr protestiert, macht ihr alles noch schlimmer. 2. Indem man fernsieht, lernt man, Fremdsprachen besser zu verstehen. 3. Indem du trainierst, wird dein Kreislauf stabiler. 4. Indem man ein Kind zu streng erzieht, deformiert man seine Persönlichkeit. 5. Indem man die Lawinengefahr kennt, vermeidet man ein Unglück. 6. Indem man die Zufahrtswege blockiert, will man den Einmarsch verhindern. 7. Indem der Konzern die Ladenkette übernimmt, will er seine Marktposition stärken.

33

Hätten Sie mich doch bloß gestört! Wären Sie doch bloß vorbeigekommen! Wären Sie doch bloß weggerannt! Hätten Sie doch bloß länger gewartet! Hätten Sie sich doch bloß entschuldigt! Hätten Sie sich doch bloß angemeldet! Hätten Sie doch bloß eine Versicherung abgeschlossen! Hätten Sie doch bloß die Tür aufgemacht! Hätten Sie doch bloß den Schnee weggeschaufelt und Salz gestreut! Wären Sie doch bloß die Wette eingegangen!

34

1. Worauf/Worüber/Auf wen/Über wen hätte ich mich freuen sollen? 2. Wovor/Vor wem hätte ich Angst haben sollen? 3. Worauf/Auf wen hätte ich warten sollen? 4. Worüber/Auf wen hätte ich böse sein sollen? 5. Worauf/Auf wen hätte ich wütend sein sollen? 6. Wofür/Bei wem hätte ich mich entschuldigen sollen? 7. Worauf/Auf wen hätte ich stolz sein sollen? 8. Wofür/Bei wem hätte ich mich bedanken sollen? 9. Worüber/Mit wem hätte ich mich unterhalten sollen?

35

das Fernglas – ist nicht meins, das Taschenmesser – ist nicht meins, die Sonnencreme – ist nicht meine, die Zeitschrift – ist nicht meine, den Bildband – ist nicht meiner, die Decke – ist nicht meine, den Anorak – ist nicht meiner, den Schraubenzieher – ist nicht meiner, das Abschleppseil – ist nicht meins, den Walkman – ist nicht meiner, die Cassetten – sind nicht meine

36

1. Platz nehmen würden 2. den Oberkörper frei machen würden 3. den Tisch reservieren würden 4. den Brief einwerfen würden 5. die Schuhe ausziehen würden 6. die Kinder beruhigen würden 7. mit dem Bohren aufhören würden 8. das Paket entgegennehmen würden

Reihe VII: Reisen, Auto und Verkehr

Auf Cassette wurden folgende Texte und Übungen aufgenommen:

Auto-Superlative (S. 257/258)
Übung: Verben (S. 264)

S. 251

Das Galgenspiel
Sie können das Thema „Reisen, Auto und Verkehr" auch mit einem Spiel beginnen, bei dem Vokabeln erraten werden sollen.

Denken Sie sich einen Begriff zum Thema „Reisen, Auto und Verkehr" aus. Schreiben Sie den ersten und den letzten Buchstaben an die Tafel. Die Buchstaben, die dazwischen liegen, markieren Sie durch Punkte:
z. B. TOURISMUS in dieser Form: T . . . . . . S
Die Schüler nennen nacheinander verschiedene Buchstaben. Schreiben Sie den Buchstaben an alle Stellen, wo er hinpaßt. Wird ein Buchstabe genannt, der nicht in dem Wort vorkommt, zeichnen sie jedesmal einen Strich, aus dem der Galgen entsteht. Um ihren Kopf zu retten, müssen die Mitspieler versuchen, das Wort herauszufinden, bevor der Galgen fertig ist.

Hilfen zum nachfolgenden Fachtext
der Ruf, in aller Welt, zählen zu, optimal, konventionell, das Antriebsaggregat, emissionsarm, die Reduktion, die Geräuschdämmung, die Werkstoffe

S. 252
Richtig oder falsch?
1. ja 2. nein 3. ja 4. nein 5. ja 6. ja

S. 253

Denksportaufgabe

Am besten bringen Sie vier gleich große Autos in den Unterricht mit und zeichnen die Straße mit der Ausweichmöglichkeit für nur einen LKW an die Tafel. Lassen Sie die Lösung demonstrieren:
Wagen 2 fährt in die Bucht. Wagen 3 und 4 fahren vorwärts an der Bucht vorbei. Wagen 1 fährt rückwärts, um Platz für Wagen 3 und 4 zu machen. Wagen 2 verläßt die Bucht und hat freie Fahrt. Wagen 3 und 4 fahren nun wieder rückwärts an der Bucht vorbei. Wagen 1 kann in die Bucht einfahren. Wagen 3 und 4 haben nun freie Fahrt. Wagen 1 verläßt die Bucht und hat ebenfalls freie Fahrt.

S. 254

Interessant

an, finde, für, an (dar)an, für, zu, in, für

S. 255

Zur folgenden **Komparation** vergleichen Sie bitte: Schulz/Griesbach, S. 125ff.; Duden, S. 259ff.; Helbig/Buscha, S. 304ff.; Erben, S. 185ff.; Dreyer/Schmitt, S. 199ff. (Neubearbeitung S. 211ff.)

Die Komparation
I.
1. längste 2. klarste 3. kürzeste 4. härteste 5. wärmste 6. kälteste 7. stärkste 8. höchste 9. schwächste 10. schärfste 11. gröbste 12. tollste 13. zarteste 14. klügste 15. ärmste 16. Jüngste 17. rascheste 18. stolzeste 19. schlankste 20. größte

S. 256

II.
1c, 2a, 3c, 4d, 5c, 6a, 7d, 8c

Elemente
1. Eine Rakete kann höher als ein Flugzeug fliegen.
2. Die S-Bahn fährt schneller als die Straßenbahn.
3. Je dichter der Autoverkehr ist, desto schlechter ist die Luft.
4. Es gibt immer weniger Parkplätze in der Innenstadt.
5. Ich frage nach dem kürzesten Weg zum Bahnhof.
6. Die Fahrt auf der Landstraße ist nicht so sicher wie die Fahrt auf der Autobahn.
7. Das Benzin wird immer teurer.
8. Nach der Zugfahrt bin ich nicht so müde wie nach der Autofahrt.
9. Je glatter die Straßen sind, desto mehr Unfälle passieren.
10. Trampen ist billiger als Bahnfahren.
11. Je älter das Auto, desto mehr Reparaturen.

Auto-Superlative

erfolgreichste, ersten, stärkeren, höchste – wichtiger, preiswertere, einfachere, billigere – älteste, interessantesten, ersten, erste, bekanntesten, teuersten – schneller, höchste, modernsten, zweitschnellsten, flach(e)sten, einsamsten, weiter, schneller – umsatzstärkste, größten, größte

S. 258

Erklären Sie die Bedeutung dieser Verkehrszeichen
1. Hier darf man nicht schneller als 100 Kilometer pro Stunde fahren.
2. Der Tunnel ist nur 3,5 m hoch. Das Fahrzeug muß niedriger als die Tunnelhöhe sein.
3. Das Fahrzeug darf einschließlich seiner Ladung nicht schwerer als 5,5 Tonnen sein. Man sieht dieses Verkehrszeichen oft vor Brücken.
4. Man sollte nicht langsamer als 50 Kilometer pro Stunde fahren (z. B. auf der Autobahn).

S. 259

Kreuzworträtsel

S. 261

Lückentest
1. tiefste 2. höchste 3. steilste 4. älteste 5. dichteste

Kombinieren Sie
die Handbremse ziehen; Gas geben; das Schiebedach öffnen; den Reifen aufpumpen; den Ölstand prüfen; Benzin tanken; den Gang einlegen; die Schneeketten montieren; die Karosserie ausbeulen; den Rückspiegel einstellen

S. 263

Wortschatz
Die drei Dinge sind: der Sicherheitsgurt, die Schneeketten, das Verbandszeug.

S. 264

Finden Sie die entsprechenden Verben
die Hupe, die Bremse, die Beschleunigung, die Zündung, die Lenkung, der Anhalter, der Blinker, der Verbrauch, der Tank, die Versicherung, die Schaltung, das Abblendlicht, der Feuerlöscher

Lösungen:
hupen, bremsen, beschleunigen, zünden, lenken, anhalten, blinken, verbrauchen, tanken, versichern, schalten, abblenden, löschen

Denksportaufgabe
Die Erde wäre gar nicht schwerer, denn das Material, mit dem die Autos gebaut werden, kommt ja nicht vom Mond.

S. 265

Silbenrätsel für Spezialisten
1. Werkzeug 2. Karosserie 3. Rad 4. Kraftstoff 5. Zündung 6. Verbandszeug 7. Papiere

S. 266

Wortbildung
2. rein 3. rüber(gehen) 4. raus(gehen) 5. rüber 6. runter, rauf 7. rein 8. runter 9. rein 10. rauf(klettern) 11. raus(kommst) 12. runter 13. rein

S. 267

Eine Fahrt durch Deutschland
Folgende Lösungsmöglichkeiten wären u. a. noch denkbar: Hamburg 5. (Bevor); Lübeck 6. (welcher); Leipzig 2. (Musiker); Freiburg 1. (in welchem); Stuttgart 5. (durch); Rothenburg 6. (zeigen)

S. 282 ff. Weitere Übungen

6

das Brandenburger Tor – Berlin; das Oktoberfest – München; die Reeperbahn – Hamburg; den Christkindlmarkt – Nürnberg; die Stadtmusikanten – Bremen; die Buchmesse – Frankfurt; die Wartburg – Eisenach; den Zwinger – Dresden; Marzipan und Thomas Mann – Lübeck; Beethovens Geburtshaus – Bonn

7

Die griechische Hauptstadt ist Athen.
Athen ist die Hauptstadt Griechenlands.
In Griechenland leben Griechen.

Die deutsche Hauptstadt ist Berlin.
Berlin ist die Hauptstadt Deutschlands.
In Deutschland leben Deutsche.

Die schweizerische Hauptstadt ist Bern.
Bern ist die Hauptstadt der Schweiz.
In der Schweiz leben Schweizer.

Die belgische Hauptstadt ist Brüssel.
Brüssel ist die Hauptstadt Belgiens.
In Belgien leben Belgier (Flamen und Wallonen).

Die ungarische Hauptstadt ist Budapest.
Budapest ist die Hauptstadt Ungarns.
In Ungarn leben Ungarn.

Die rumänische Hauptstadt ist Bukarest.
Bukarest ist die Hauptstadt Rumäniens.
In Rumänien leben Rumänen.

Die finnische Hauptstadt ist Helsinki.
Helsinki ist die Hauptstadt Finnlands.
In Finnland leben Finnen.

Die dänische Hauptstadt ist Kopenhagen.
Kopenhagen ist die Hauptstadt Dänemarks.
In Dänemark leben Dänen.

Die portugiesische Hauptstadt ist Lissabon.
Lissabon ist die Hauptstadt Portugals.
In Portugal leben Portugiesen.

Die britische (englische) Hauptstadt ist London.
London ist die Hauptstadt Großbritanniens (Englands).
In Großbritannien leben Engländer, Schotten, Waliser und Iren.

Die spanische Hauptstadt ist Madrid.
Madrid ist die Hauptstadt Spaniens.
In Spanien leben Spanier.

Die russische Hauptstadt ist Moskau.
Moskau ist die Hauptstadt Rußlands.
In Rußland leben Russen.

Die norwegische Hauptstadt ist Oslo.
Oslo ist die Hauptstadt Norwegens.
In Norwegen leben Norweger.

Die französische Hauptstadt ist Paris.
Paris ist die Hauptstadt Frankreichs.
In Frankreich leben Franzosen.

Die tschechoslowakische Hauptstadt ist Prag.
Prag ist die Hauptstadt der Tschechoslowakei (ČSFR).
In der Tschechoslowakei (ČSFR) leben Tschechen und Slowaken.

Die bulgarische Hauptstadt ist Sofia.
Sofia ist die Hauptstadt Bulgariens.
In Bulgarien leben Bulgaren.

Die schwedische Hauptstadt ist Stockholm.
Stockholm ist die Hauptstadt Schwedens.
In Schweden leben Schweden.

Die polnische Hauptstadt ist Warschau.
Warschau ist die Hauptstadt Polens.
In Polen leben Polen.

Die österreichische Hauptstadt ist Wien.
Wien ist die Hauptstadt Österreichs.
In Österreich leben Österreicher.

8

1. Auf dem Land hingegen gibt es weniger Geschäfte. 2. Das Zimmer zur Straße hingegen ist ziemlich laut. 3. Vor einem Nashorn hingegen solltest du dich in acht nehmen. 4. In Reihenhäusern hingegen hat man mehr Kontakte. 5. Niedersachsen hingegen ist ein großes. 6. Bei ihrem Mann hingegen redet sie ununterbrochen. 7. Außerhalb hingegen sind sie ausgestorben. 8. Ist er hingegen nüchtern, ist er sanft wie ein Lamm. 9. Zu Hause hingegen können sie tun und lassen, was sie wollen. 10. Bei meiner Frau hingegen schmeckt es mir ausgezeichnet.

Alle Sätze auch mit „dagegen" und „jedoch" möglich; beachten Sie aber die Wortstellung nach „im Gegensatz dazu": „Im Gegensatz dazu gibt es auf dem Land ..." und „während": „..., während es auf dem Land weniger Geschäfte gibt."

9

1. falschen 2. leichte 3. lange 4. blaues 5. große 6. schiefe 7. sauren 8. bösen 9. blassen 10. eigenen 11. eisernem 12. nackten 13. letzte 14. offene 15. reinen 16. rohes 17. Trockene 18. vollen 19. schmutzige 20. goldene 21. hohe 22. Gleichem 23. gutes 24. Ganzes 25. heiler 26. heißes 27. grünen 28. fremden

10

1p, 2i, 3b, 4c, 5r, 6g, 7q, 8t, 9s, 10o, 11n, 12f, 13j, 14m, 15h, 16l, 17a, 18k, 19d, 20e

14

Es geschah Samstag morgen, morgens früh um zehn, als Hunderte von Menschen, Alte und Junge, mit dem Auto oder Rad am Wochenende ins Blaue fuhren. Mit der Deutschen Bundesbahn fuhren nur wenige. Jeder einzelne wollte sich mit Recht das strahlende Wetter zunutze machen und ein paar Stunden radfahren oder Motorrad fahren.

Das Folgende ereignete sich: Ein Trabbi machte mit Motorschaden auf der Autobahn halt und wurde von einem Porsche abgeschleppt. Der Trabbifahrer erklärte dem Porschefahrer, er würde laut hupen, wenn ihm die Fahrt zu schnell ginge. Auf der Autobahn will natürlich jeder der Schnellste sein. Schnelle Autos überholen die langsamen. Nichts anderes hatte ein anderer Porschefahrer im Sinn. Der Hintere nämlich wollte überholen. Der mit dem Trabbi im Schlepp jedoch wollte sich nicht überholen lassen. Die beiden Porschefahrer gaben Vollgas. Keiner wollte den kürzeren ziehen. Dem Trabbifahrer wurde angst. Er war nicht schuld an dem Wettrennen. Er konnte einem wirklich leid tun. In großer Angst tat er sein möglichstes und hupte wie ein Wilder.

Ein noch schnellerer Mercedesfahrer näherte sich von hinten. Er meinte, daß die beiden Porschefahrer dem Trabbifahrer unrecht täten, weil sie ihn trotz des lauten Hupens nicht überholen ließen, obwohl dieser die Porschefahrer eines Besseren belehren wollte.

15

1. Vor kurzem traf ich ihn wieder. 2. Er gab ohne weiteres zu, verliebt zu sein. 3. Von klein auf nannte man ihn „Hänschen". 4. Er ist mit ihr durch dick und dünn gegangen. 5. Über kurz oder lang möchte ich ihn wiedersehen. 6. Er würde gern die Angelegenheit ins reine bringen. 7. Fürs erste weiß ich genug. Ich habe alles mögliche erfahren. 8. Ich möchte auf dem laufenden gehalten werden. 9. Ich tue mein möglichstes, um zu helfen. 10. Deine kritische Bemerkung hat ins Schwarze getroffen. 11. Du hast seinen Diskussionsbeitrag ins Lächerliche gezogen. 12. Er bestand zu Recht auf seiner Forderung. 13. Sie behielt natürlich recht. 14. Er war im Recht.

16

Widder, Stier, Wassermann, Waage
der Bodensee, die Müritz, der Chiemsee, der Starnberger See
der Januar, der Februar, der März, der April
Stefan Heym, Christa Wolf, Sarah Kirsch, Rainer Kunze
Iphigenie auf Tauris, Torquato Tasso, Faust, Wilhelm Meister
die Armbanduhr, die Stoppuhr, der Wecker, die Turmuhr
der Morgen, der Mittag, der Nachmittag, der Abend
der Tee, der Kaffee, der Grog, die Schokolade
der Stern, der Spiegel, die Bunte, die Wirtschaftswoche
Sachsen, Thüringen, Brandenburg, Sachsen-Anhalt
der Hut, die Kapuze, die Mütze, der Zylinder
die Leber, die Lunge, das Herz, die Niere

der Hautarzt, der Zahnarzt, der Internist, der HNO-Arzt
der Güterzug, die S-Bahn, die U-Bahn, der Intercity
die Tastatur, der Bildschirm, die Maus, die Festplatte
die ARD, das ZDF, das RTL, das SAT1
die Sekunde, die Minute, die Stunde, der Tag
Joseph Beuys, Ernst Barlach, Oskar Kokoschka, Wassily Kandinsky
das Reh, der Hase, der Fuchs, der Hirsch

17
Ich zerhacke die Äste. Ich zerbröckele das Brot. Ich zerschlage das Geschirr. Ich zermahle die Kaffeebohnen. Ich zerstampfe die Kartoffeln. Ich zerkratze den Lack. Ich zerknacke die Nuß. Ich zerlege den Motor. Ich zerknülle die Serviette. Ich zerschneide den Stoff.

18
1. Verdunkel/Verdunkle das Zimmer! 2. Sie hat ihren Mann vergiftet. 3. Er hat sich verfrüht. 4. Der Himmel verdüstert sich. 5. Von den Videoclips verblödet man. 6. Der Verlierer ist verärgert. 7. Die Kindheitserinnerungen verblassen. 8. Das Benzin verteuert sich. 9. Die Äpfel am Baum verfaulen. 10. Ich habe mich verschrieben. 11. Die beiden haben sich verkracht. 12. Die Nachbarn haben sich verfeindet. 13. Das Metall hat sich verflüssigt. 14. Er hat sich verfahren. 15. Die Bevölkerung in den Ländern der Dritten Welt verarmt.

19
1. Berlin hat über 3,4 Millionen Einwohner.
2. Im Angebot gibt es günstige Geschirrspülmaschinen, preiswerte Elektroherde, billige Kühlschränke, gebrauchte Fernsehapparate, moderne Kaffeeautomaten zu niedrigen Preisen mit hohen Preisnachlässen.
3. Alle langjährigen Arbeitskräfte erhalten höhere Beträge als Löhne und Gehälter ausgezahlt.
4. Nicht alle cleveren Geschäftsleute sind schlimme Kapitalisten.
5. Auf meinen Ausflügen filmte ich klare Bäche, weite Flüsse, breite Kanäle, fruchtbare Äcker, hohe Berge und enge Täler.
6. In den Kliniken arbeiten Professoren, Ärzte und Krankenschwestern, um den Patienten zu helfen.
7. Als weitgereiste Touristen und zahlende Gäste kommen hauptsächlich Japaner und Chinesen zu uns. Aber auch Schweden, Dänen, Norweger und Finnen sind häufige Kunden unserer Verkehrsämter. Sie erhalten nützliche Auskünfte und gedruckte Informationsmaterialien.
8. Die heftigen Zusammenstöße der berittenen Polizisten mit den vermummten Demonstranten verliefen unblutig.
9. In den kleinen Seebädern auf den ostfriesischen Nordseeinseln gibt es zum Glück keine lauten Privatautos, wohl aber einige Taxis.
10. Während der wilden Streiks warteten unschuldige Passagiere auf den spanischen Flughäfen. Dutzende schliefen auf harten Bänken und Stühlen, andere versuchten, neue Auskünfte zu bekommen. Auf den örtlichen Bahnhöfen und zentralen Busstationen sah es nicht viel besser aus. Nur die einheimischen Taxichauffeure machten glänzende Umsätze.

11. Deine gestrigen Notizen enthalten nach meinen bisherigen Eindrücken viele schwere Irrtümer.

20

Maskulin sind: der Rhein, der Neckar, der Main, der Inn.

Heidelberg? – Am Neckar. Ich fahre gern an den Nackar.
Bonn? – Am Rhein. Ich fahre gern an den Rhein.
Bremen? – An der Weser. Ich fahre gern an die Weser.
Dresden? – An der Elbe. Ich fahre gern an die Elbe.
Berlin? – An der Spree. Ich fahre gern an die Spree.
Hannover? – An der Leine. Ich fahre gern an die Leine.
Wien? – An der Donau. Ich fahre gern an die Donau.
Frankfurt? – Am Main. Ich fahre gern an den Main.
Frankfurt? – An der Oder. Ich fahre gern an die Oder.
Trier? – An der Mosel. Ich fahre gern an die Mosel.
Halle? – An der Saale. Ich fahre gern an die Saale.
Innsbruck? – Am Inn. Ich fahre gern an den Inn.

22

1. Die Müritz hat die größte Ausdehnung nach dem Bodensee. 2. Hamburg hat die meisten Einwohner nach Berlin. 3. Der Schwarzwald ist das höchste Gebirge nach den Alpen. 4. Fehmarn ist die größte Insel nach Rügen (und Usedom). 5. Die Donau ist innerhalb der deutschen Grenzen der längste Fluß nach dem Rhein. 6. Niedersachsen ist das größte Bundesland nach Bayern.

23

1. wie 2. als 3. wie 4. wie 5. als 6. als 7. wie 8. wie, als 9. als 10. als

S. 290ff.
Abschlußtest Lektionen 4–7

1

1. stehen 2. gestellt 3. steht 4. steht 5. stellen 6. stellt(e)

2

1. zur Folge 2. waren ... nicht in der Lage 3. sofort eine Entscheidung zu treffen. 4. in Kauf nehmen 5. war gerade im Begriff

3

1. überwéisen 2. sich unterhálten 3. áusfüllen 4. teilnehmen 5. überzéugen 6. áuffallen 7. erfüllen 8. sich éinschreiben 9. fórtsetzen

4

1.
a) die Ausbildungsvergütung auch für die Unterrichtszeit zu zahlen.
b) vom Arbeitgeber auch für die Unterrichtszeit zu zahlen.
c) vom Arbeitgeber auch für die Unterrichtszeit gezahlt werden.

2.
a) die Miete am Monatsende überweisen.
b) vom Mieter am Monatsende überwiesen werden.
b) die Miete am Monatsende zu überweisen.

5

1.
a) Der Proletarier konnte ausgetauscht und ersetzt werden.
b) Der Proletarier war austauschbar und ersetzbar.

2.
a) Der Plan war nicht durchführbar.
b) Der Plan ließ sich nicht durchführen.

3.
a) Seine Zukunft konnte nicht eingeschätzt werden.
b) Seine Zukunft ließ sich nicht einschätzen.

4.
a) Wohlstand kann nicht nur materiell gemessen werden.
b) Wohlstand ist nicht nur materiell meßbar.

5.
a) Das Problem der Arbeitslosigkeit kann nach Ansicht der Arbeitgeberverbände nur durch Verzicht auf Lohnerhöhungen gelöst werden.
b) Das Problem der Arbeitslosigkeit läßt sich nach Ansicht der Arbeitgeberverbände nur durch Verzicht auf Lohnerhöhungen lösen.

6
1. Es mangelt an Studienplätzen.
2. Die Wirtschaftskrise führte zu einem Anstieg der Arbeitslosigkeit.
3. Für ihr Studium bewarb sie sich um ein Stipendium in der Bundesrepublik.
4. An seinem Arbeitsplatz galt er als tüchtig und zuverlässig.
5. Griechenland gehört zur Europäischen Gemeinschaft.
6. Viele Vereine und kulturelle Institutionen sind von staatlicher Unterstützung abhängig.
7. Im Reisebüro fragte er nach günstigen Flügen von Paris nach München.
8. Bei ihrem Nachbarn beklagte sie sich über die nächtliche Ruhestörung.
9. Alle waren mit seinem Vorschlag einverstanden.

7
1. dafür 2. davon 3. dazu 4. daran 5. darauf

Auswertung der Zentralen Mittelstufenprüfung

S. 302ff.

Goethe-Institut
Zentrale Mittelstufenprüfung
LESEVERSTEHEN

Lösungsschlüssel

Teil A			Punkte
H	–	Erziehung vollzieht sich ...	0,5
E	–	Die Kinder werden größer ...	0,5
D	–	Ein anderes Beispiel für ...	0,5
G	–	Eine andere Studie der Schweizer Psychologen ...	0,5
C	–	Warum ist es für einen Säugling ...	0,5
F	–	Aufschlußreich auch, wie ...	0,5
		erreichbar:	3,0

Teil B (I)

Mindestangabe:

1.	JA	Zeile 12–15	1,0
2.	JA	Zeile 19–21	1,0
3.	NEIN		0,5
4.	NEIN		0,5
5.	JA	Zeile 54–56 (bzw. 16–19)	1,0
6.	NEIN		0,5
7.	NEIN		0,5
8.	JA	Zeile 71–74	1,0
		erreichbar:	6,0

Teil B (II)

1. Wenn die Eltern nicht zuverlässig auf Schreien reagieren, schreien Kinder auch viel, wenn sie älter als sechs Monate sind. / Die prompte Reaktion der Eltern auf Weinen oder Schreien ist für das Baby lebensnotwendig. / Eltern ahmen das Verhalten ihres Babys stärker nach, als dies umgekehrt der Fall ist o. ä. — 2,0

2. Sie wurden beim Essen / am Eßtisch / wenn die Familie gemeinsam ißt / und bei den Hausaufgaben / beim Hausaufgabenmachen beobachtet o. ä. — 2,0

3. Die Mutter war flexibler / erfolgreicher / geschickter als der Vater. / Die Kinder hatten gegenüber der Mutter ganz andere Verhaltensweisen. / Der Vater war strenger / autoritärer / ungeschickter als die Mutter o. ä. — 2,0

erreichbar: 6,0

Teil C (I)

1a, 2c, 3d, 4b, 5b, 6c, 7b, 8c, 9c, 10a

Für jede richtige Lösung: 0,5 Punkte, also insgesamt erreichbar: 5,0

Teil C (II)

Anmerkung: Es soll mit den Worten des Textes geantwortet werden.

1. Erfolgserlebnis 1,0
2. für eine Studie / um zu zeigen, wie sehr der Erziehungsstil der
   Eltern vom Verhalten ihrer Kinder abhängt. 1,0
3. daß jedes Kind seine Mutter, seinen Vater verändert 1,0

erreichbar: 3,0

Teil C (III)

1. Würden o. ä. 1,0
2. von einem/dem Säugling ausgeübt wird o. ä. 1,0
3. Wenn/Sobald die Kinder selbständiger werden /
   Wenn die Selbständigkeit (der Kinder) zunimmt o. ä. 1,0
4. wenn ... wollen / damit ... können 1,0
5. bestehenden Anordnungen 1,0
6. die Frauen es / das / davon wußten o. ä. 1,0
7. damit es sein Selbstvertrauen aufbauen kann o. ä. 1,0

erreichbar: 7,0

Berechnung des Gesamtergebnisses:

Teil A . . . . max. 3 Punkte
Teil B (I) . . . . max. 6 Punkte
Teil B (II) . . . . max. 6 Punkte
Teil C (I) . . . . max. 5 Punkte
Teil C (II) . . . . max. 3 Punkte
Teil C (III) . . . . max. 7 Punkte

Gesamtergebnis erreichbar: 30 Punkte

Errechnung der Prädikate:

Punkte		Note
30–28 Punkte	=	sehr gut
27–24 Punkte	=	gut
23–19 Punkte	=	befriedigend
18–15 Punkte	=	ausreichend
*13,5 bzw. 14 Punkte	=	nicht bestanden, ausgleichbar
13– 0 Punkte	=	nicht bestanden

---

* Im Gesamtergebnis werden halbe Punkte – auch bei 13,5 Punkten – auf volle Punkte aufgerundet.

Die Präsentation des Hörverstehens erfolgt in zwei Durchläufen:
1. Die Prüflinge hören den ganzen Text ohne Pausen.
2. Die Prüflinge hören den Text in Abschnitten noch einmal. Die Abschnitte sind markiert durch *. Für jede zu lösende Aufgabe werden 30 Sek. Zeit zur Beantwortung der entsprechenden Frage benötigt. Bitte stoppen Sie das Band entsprechend der Menge der Aufgaben.

Th.: = Thorsten
Spr.: = Sprecherin

Schauspieler, ein Traumberuf?
Spr.: Wie jeden Freitag herzlich willkommen zu unserem Magazin „Treffpunkt". Alle, die gerne Schauspieler werden möchten, sollten jetzt besonders aufpassen. Wir haben nämlich heute als Studiogast einen jungen Schauspieler, der einiges über diesen Traumberuf und über seine Erfahrungen damit erzählen will. Thorsten, stellst du dich mal kurz vor?
Th.: Ja, ich heiße Thorsten Krein, bin jetzt 27 und komme aus Nürnberg. Die letzten drei Jahre bin ich in München auf die Schauspielschule gegangen, und jetzt fange ich an, als Schauspieler zu arbeiten.
Spr.: Wie bist du denn auf die Idee gekommen, daß du Schauspieler werden willst?
Th.: Ich hab' zwar im Gymnasium, in meiner Schulzeit, schon Schultheater gespielt, und das hat Spaß gemacht, aber ich habe nach der Schule nicht den Plan gehabt, Schauspieler zu werden. Ich hab' ganz normal nach der Schule meinen Zivildienst gemacht und dann nachgedacht, was machst du jetzt. Da war ein gewisses Loch, eine Pause, und eigentlich dachte ich eher an eine wissenschaftliche Karriere, also an Soziologie oder Philosophie. Dann hat mich aber in dieser Pause ein Freund angesprochen und hat gefragt, ob ich mich nicht mit ihm vorbereiten möchte, er möchte bei einer Schauspielschule vorsprechen. Das hab' ich dann gemacht. Ich hatte viel Zeit. Wir haben dann unsere drei Rollen, die man braucht für die Aufnahme an einer Schauspielschule, vorbereitet. D. h., wir haben uns gegenseitig angeschaut und korrigiert und dann jeweils auch Ideen dazu eingebracht, wie man das spielen könnte. Da hab' ich mir gedacht, ja also, der will auf die Schauspielschule, und das kannst du eigentlich auch, und dann hab' ich mich auch gleich an einer Schauspielschule beworben und mein Glück versucht.
(* Aufgaben 1a/1b)

Spr.: Und wie war das mit der Aufnahmeprüfung? Hast du denn die Prüfung dann ohne Probleme bestanden?
Th.: Die Aufnahmeprüfung gibt's nicht, es waren zehn Stück, das ist eigentlich so üblich. Es gibt in Deutschland ungefähr zehn große staatliche Schulen, z. B. in München, in Stuttgart, in Hannover, in Berlin, in Frankfurt, um nur einige zu nennen. Und da es für jede Schule, für jedes Jahr, 600 bis 800 Bewerber pro Schule gibt und da nur 10 bis 15 für jeden Jahrgang genommen werden,

kann man sich ausrechnen, daß man eigentlich an allen Schulen vorsprechen muß, um die Chance zu haben, einen von diesen wenigen Plätzen zu ergattern.
(* Aufgabe 2)

Spr.: Ja und was passiert dann, wenn man endlich glücklicherweise an einer dieser staatlichen Schauspielschulen aufgenommen worden ist? Was erlebt man denn da?

Th.: Ja, dann geht der Streß erst mal weiter, weil dann das Probehalbjahr kommt, also man ist erst mal auf Probe da. Vielleicht fliegt man nach einem halben Jahr wieder raus. In meiner Klasse ist das vier von 14 passiert. Das ist ein ziemlicher Druck. Und man ist in einer fremden Stadt, mit zehn anderen Kollegen in der Klasse zusammengewürfelt, ein Haufen von Leuten, die alle sehr selbstbewußt, sehr stark auftreten. Und die sind jetzt plötzlich zusammen und müssen ihre Rivalitätskämpfe austragen. Das kann sich positiv auswirken, ganz oft aber auch negativ. Im ersten halben Jahr wird an der Schauspielschule sehr viel improvisiert, d. h., man arbeitet ohne festen Text, soll z. B. Gefühle wie Eifersucht darstellen oder ein Tier spielen. Die Idee dahinter ist, daß man sich durch Improvisation und Körpertraining selber kennenlernen soll, Barrieren und Hemmungen abbauen soll. Und das ist natürlich auch ein psychischer, ein sehr extremer Vorgang. Und das kann sehr positiv sein, aber manche Leute sind dann auch wirklich ziemlich verschreckt, und erst mal verschwindet das, was ihr Talent ausgemacht hat, plötzlich völlig. Dann kommt aber nebenbei viel Neues, das ist immer ganz aufregend, so Sachen, die man früher vielleicht gar nicht so gemacht hat, also Tanzen, Gesang und Sprechausbildung. Das ist schön und spannend, wenn man den eigenen Körper, die eigene Stimme ausprobiert und erfährt. Das ist eine wirkliche Selbsterfahrung.
(* Aufgaben 3/4a/4b)

Spr.: Und wie lange dauert die Ausbildung insgesamt? Gibt es so was wie einen Studienplan?

Th.: Also, die Ausbildung ist jetzt, weil die staatlichen Schulen Hochschulen sind, Akademiestatus haben, vier Jahre. Um 'ne richtige Hochschulausbildung zu haben, muß man mindestens vier Jahre studiert haben. Die Ausbildung ist unterteilt. Im ersten Jahr wird – wie gesagt – viel improvisiert und nur langsam an die Rollenarbeit gegangen, im zweiten Jahr wird schon Rollenarbeit gemacht, d. h., es werden Rollen einstudiert, es werden auch schon kleine Projekte am Ende des zweiten Jahres aufgeführt, und im dritten Jahr bereitet man sich eben eigentlich auf den Abschluß vor. Man arbeitet Rollen, mit denen man dann auch vorsprechen kann, Monologe, Dialoge. Am Ende des dritten Jahres ist das Intendantenvorsprechen, es kommen Intendanten, also Theaterdirektoren, und auch Regisseure und schauen sich die Schauspielschüler an, die Rollen und Szenen spielen. Da werden Verträge für die nächste Spielzeit, d. h. für das nächste Jahr gemacht. Dann hat man auch noch dieses vierte Jahr, in dem man auch ein bißchen Geld bekommt, also quasi so ein Auffangjahr. Entweder man hat da ein Engagement, oder, wenn

man nichts hat, kann man weitere Rollen arbeiten. Also drei Jahre die eigentliche Ausbildung, vier Jahre die gesamte Ausbildung.
(* Aufgaben 5a/5b/6)

Spr.: Und was heißt das, man arbeitet Rollen? Was tut man, wenn man so einen Text vor sich hat und jetzt da einen Menschen darstellen muß? Ist das Auswendiglernen, das Gedächtnis das wichtigste oder was sonst?

Th.: Das ist natürlich wirklich sehr schwer zu erklären. Die Gedächtnisleistung ist natürlich eine, sie ist aber auch keine, weil man arbeitet die Rollen wochenlang intensiv mit Regisseuren und anderen Schauspielern. Und Arbeiten an der Rolle heißt, daß man sich erst mal klarzuwerden versucht, was ist überhaupt die Situation, was passiert da, wer ist der Mensch, den ich spielen soll, also welche Gefühle werden da frei. Nachdem das geklärt ist, versucht man das eben durch bestimmte Gänge, durch bestimmte Stellungen, durch gewisse Gesten, durch ein gewisses Verhalten deutlich zu machen, also zu übersetzen. Das ist der rein äußerliche Vorgang. Was ein Schauspieler macht, um konkret die Emotionen und die Situation dann spielen zu können, das ist nun ganz unmöglich zu erklären, und das ist eben das Talent oder das spezifische Geheimnis eines jeden Schauspielers, wie der das herbringt, so daß man ihm das abnimmt und man das glauben kann. Jeder Satz ist mit einer gewissen Emotion verbunden, es geht um ein emotionales Gedächtnis. Ich versuche also, die Gefühle der Reihe nach hervorzurufen, und dazu gehört dann auch der Text. Und so ist dieser Text nicht nur gelernt und im Kopf verankert, sondern er ist im ganzen Körper verankert. Das ist schwer zu erklären, wenn man das nicht selber schon mal gemacht hat.
(* Aufgabe 7)

Spr.: Wie geht es nun für dich nach der Schauspielschule weiter?

Th.: Ich hab' jetzt erst mal in München hier in einer kleinen, freien Gruppe in einem Privattheater eine Produktion gemacht. In so einer Gruppe bekommt man kein festes Gehalt, sondern es gibt Prozente von den Einnahmen. Nach dieser Produktion habe ich einen Anschlußvertrag, einen Vertrag für ein Stück am Mainzer Staatstheater, der geht bis zum Ende der Spielzeit. Und dann hoffe ich, daß ich für die nächsten zwei Jahre einen Anfängervertrag an einem städtischen oder staatlichen Theater bekommen werde.

Spr.: Ist dein Weg typisch für einen angehenden Schauspieler, wenn du so deine Kollegen anguckst?

Th.: Es gibt ganz verschiedene Wege. Von unserem Jahrgang, also zehn Leuten, um da ein Beispiel zu nennen, haben vier bis jetzt ein festes Engagement, zwei davon an einem großen Theater, einer am Berliner Schiller-Theater und eine an den Münchner Kammerspielen. Weitere vier werden noch eins finden an einem kleineren Ort, also nennen wir z. B. hier als kleinere Theater Kassel, Mainz, Bielefeld. Wenn man Pech hat, wird es auch ein ganz kleiner Ort wie Celle oder Bruchsal. Da will niemand so gerne hin. Und dann werden vielleicht zwei erst mal keine feste Anstellung bekommen und müssen sich entweder mit Funkaufnahmen beim Rundfunk oder mit kleineren Fernsehgeschichten oder mit Arbeiten in freien Gruppen über Wasser halten. Vielleicht müssen sie auch mal was Berufsfremdes machen und sich dann entschei-

den, ja, machen wir das weiter, halten wir das durch, warten wir darauf, daß es noch klappt. Oder hören wir damit auf und fangen jetzt einfach was anderes an.
(* Aufgabe 8)

Spr.: Hast du schon Pläne für deine weitere Zukunft? Was möchtest du in den nächsten fünf Jahren so machen?

Th.: Natürlich mach' ich mir Gedanken. Eine realistische Karriereplanung sieht etwa so aus: Zuerst ein mittleres Stadttheater, so in Städten wie Wiesbaden oder Hannover. Das ist der eigentliche Traum von jedem. Ich kann mir sagen, es ist nicht zu schlecht und 'ne Möglichkeit weiterzukommen. Wenn ich Glück habe, schaffe ich nach, sagen wir, zwei Jahren Hannover, dann zwei Jahren Kassel, den Sprung an ein großes Theater wie Hamburg, München, Bochum oder Berlin. Man darf nicht zu lange an einem Ort bleiben.

Spr.: Ja, wie ist denn das, wenn man erst zwei Jahre in Wiesbaden ist und dann zwei Jahre in Kassel und dann, so Gott will, zwei Jahre in Berlin, wie ist denn das mit dem Privatleben? Kann man eine feste Beziehung haben, und wie steht das mit dem Freundeskreis?

Th.: Ja, Privatleben. Also, es ist ja so, daß eigentlich schon in der Schauspielschule die meisten alten Freunde wegfallen. Man ist in einer anderen Stadt, man befindet sich in einem radikalen Umbruch, und viele sagen, wie hast du dich denn verändert. Also es gibt ja ganz wenige Leute, die wirklich bereit sind, die ausschließliche Beschäftigung mit sich selbst, die für viele Schauspieler typisch ist, zu akzeptieren. Viele sagen: Also der ist mir zu abgehoben, du bist nur auf dich fixiert, du bist egozentrisch. Die da mitmachen, das sind dann wirklich schon gute Freunde oder eben die große Liebe. Natürlich kommt nach der Schule das nächste Problem, weil man in der Tat in den ersten Jahren häufig umziehen muß. Aber, das ist natürlich die Frage, inwieweit kann da jetzt der Partner zurückstecken. Meistens haben beide eben ihre Berufe, und das zu koordinieren ist schwer. Ich glaube, daß aus diesem Grund heraus ganz viele Inzuchtbeziehungen bestehen, d. h., es haben ganz viele Schauspieler mit einer Kollegin, einem Kollegen eine Beziehung. Da beide um dieses Problem wissen, glauben sie also, dafür eben mehr Verständnis zu haben. Nur diese Versuche scheitern auch ganz häufig, weil dann eben zwei so extreme Leute zusammen sind, die sich auch extrem selbst verwirklichen wollen. Und lange Zeit ist das schwer zu halten.
(* Aufgaben 9/10)

Spr.: Über das Geld haben wir jetzt noch gar nicht geredet. Was verdient man denn so als Anfänger?

Th.: Als Anfänger ist es so, daß in Deutschland von Theater zu Theater verschieden zwischen 2200 und 2800 brutto gezahlt wird. Das ist nicht viel. Es ist ziemlich wenig, also wenn man so andere Anfängergehälter sieht, ist das ganz minimal. Das sind nun Stadttheater, da kommt nicht jeder rein. Wenn man in freien Theatergruppen arbeiten muß, z. B. in München gibt es ganz viele kleine Theater, da verdient man z. B. für die Proben ganz häufig gar nichts. Da spielt man abends auf Beteiligung, und das bedeutet, daß man ja

am Abend auch mal nur 30,– Mark verdient, wenn wenige Zuschauer kommen. Davon kann man nun überhaupt nicht leben, deswegen muß man was anderes nebenher machen, man muß jobben. Später kann man dann schon mehr verdienen, aber reich wird dabei fast niemand. Schauspieler ist ein toller, schlechtbezahlter Beruf. Das muß man wissen.
(* Aufgabe 11)

Spr.: Uns hören jetzt sicher einige zu, die auch gern Schauspieler werden möchten. Und die wollen bestimmt wissen, woran man erkennt, ob man begabt ist. Anders gefragt: Was ist eigentlich schauspielerisches Talent, und was muß ein Schauspieler sonst noch so mitbringen?

Th.: Also, man kann es nicht erkennen, ob man begabt ist. Ich glaube, niemand kann das erkennen. Also, man hat vielleicht Erfolge aus den Schulaufführungen usw. Das ist aber oft ganz persönlich gefärbt und hat eben mit Talent, das man als Schauspieler braucht, auch wenig zu tun. Tja, Talent, was ist das? Man hat es oder eben nicht. Ja, was braucht man: eine wahnsinnige Konstitution, also eine unheimliche Kraft, was auszuhalten, weil man kriegt oft Kritik zu hören: Das ist schlecht, was du da machst, es ist ganz schlecht, das kannst du so nicht machen. Damit muß man leben. Was man aber, glaube ich, vor allen Dingen braucht, und das kann man ja an sich selbst ablesen, ist, ob man das wirklich will, ob man diesen Wunsch hat, und der sollte wahrscheinlich aufgrund der Schwierigkeiten und auch der ganzen Widrigkeiten, die es mit sich bringt, ein sehr totaler sein. Also, die ganzen Träume, die man damit verbindet, gehen dann doch nur bei einem ganz geringen Prozentsatz von Leuten in Erfüllung, und der Rest, ja, der muß eben irgendwo auch ein Gaukler sein oder ein Komödiant, also, das muß einem Spaß machen. Und es gibt noch etwas ganz Wichtiges für Schauspieler: Das sind Fleiß und Disziplin. Talent allein genügt nicht.

Spr.: Tja, auch der Traumberuf Schauspieler ist also harte Arbeit, noch dazu schlecht bezahlt. Thorsten, du hast sicher viele Illusionen zerstört, aber uns wirklich gut informiert.
Herzlichen Dank!
Nun aber wieder Musik.
(* Aufgabe 12)

(Goethe-Institut, Ref. 43, München)

HÖRVERSTEHEN

Lösungsschlüssel *Punkte*

1. a) (Es hatte) eine geringe Bedeutung / wenig Bedeutung. / Es hat
Spaß gemacht o. ä.   2,0
b) (Er hatte) eine große Bedeutung. / Thorsten hat sich mit ihm auf
die Schauspielschule vorbereitet. / Thorsten hat bei der gemeinsamen Vorbereitung auf die Schauspielschule gemerkt, daß er
Schauspieler werden will o. ä.   2,0

2. Es gibt viele Bewerber und wenige Plätze. / Von 600 bis 800 Bewerbern werden nur 10 bis 15 an jeder Schule genommen. / Pro Schule gibt es 600 bis 800 Bewerber und nur 10 bis 15 Plätze o. ä.   2,0

3. Das erste halbe Jahr ist / die ersten sechs Monate sind das / ein Probehalbjahr / eine Probezeit. / Man ist auf Probe da. / Man kann wieder rausfliegen / rausgeworfen werden o. ä.   2,0

4. a) Es gibt Rivalitätskämpfe. / Es gibt Probleme, weil alle sehr selbstbewußt sind o. ä.   2,0
   b) Es wird viel improvisiert / man arbeitet ohne festen Text. / (Durch) Improvisation und Körpertraining (sollen Hemmungen abgebaut werden.) / (Man lernt Fächer wie) Tanzen, Gesang und Sprechausbildung. / Der Unterricht ist eine Selbsterfahrung o. ä.   2,0

5. a) Es werden Rollen (ein)studiert und kleine Projekte aufgeführt. / Rollenarbeit und kleine Projekte (sind die Schwerpunkte) o. ä.   2,0
   b) Man (er)arbeitet Rollen / Monologe und Dialoge für den Abschluß / für das Intendantenvorsprechen /, um einen Vertrag für nächstes Jahr zu bekommen o. ä.   2,0

6. (Das vierte Jahr) ist ein Auffangjahr. / Man bekommt etwas Geld. / Man hat entweder ein Engagement / einen Vertrag / eine Arbeit, oder man (er)arbeitet weiter Rollen o. ä.   2,0

7. Sie ist eine und (auch) keine. / Es geht um ein emotionales Gedächtnis. / Der Text ist im (ganzen) Körper verankert o. ä.   2,0

8. Die einen haben ein (festes) Engagement / einen (festen) Vertrag an einem großen Theater. / Andere an einem kleinen Theater. / Einige arbeiten in freien Gruppen / Privattheatern. / Manche / einige haben keine feste Anstellung / Stellung / müssen bei Funk und Fernsehen (frei) arbeiten. / Wenige / manche müssen etwas anderes / etwas Berufsfremdes machen / aufhören o. ä.   2,0

9. Zuerst will er an mittleren (Stadt)theatern arbeiten und dann an einem großen Theater. / Er will / darf nicht (zu) lange an einem Ort bleiben. / Er will / muß öfters das Theater (und den Ort) wechseln o. ä.   2,0

10. Die (meisten) alten Freunde fallen weg. / Den meisten Menschen sind Schauspieler zu egozentrisch / auf sich bezogen. / Das häufige Umziehen / der häufige Wechsel ist für Beziehungen schlecht / problematisch. / Viele Schauspieler haben eine Beziehung mit einem Kollegen / einer Kollegin. / Beziehungen zwischen Schauspielern sind schwierig (, weil beide egozentrisch sind) o. ä.   2,0

11. Sie bekommen nur eine Beteiligung. / Sie verdienen so schlecht, daß sie nebenher / nebenbei jobben / etwas anderes machen müssen o. ä.   2,0

12. (Man braucht) Talent / Begabung, eine (sehr) gute Konstitution / viel / eine unheimliche Kraft /, den starken Wunsch, Schauspieler zu sein /, Fleiß /, Disziplin o. ä.   2,0

erreichbar: 30,0

Zur Bewertung
Rechtschreibfehler und geringe formale Schwächen bleiben unberücksichtigt. Die jeweiligen Punkte werden jedoch nur vergeben, wenn das Verständnis der Antwort trotz eventueller Formfehler gewährleistet ist.
Als richtig gilt jede Antwort, die die im Lösungsschlüssel vorgeschlagene(n) dem Sinne nach trifft. Die im Lösungsschlüssel angegebenen Möglichkeiten sind Alternativen, die Angabe einer Antwort gilt auch dann als ausreichend, wenn die Frage im Plural formuliert ist. (Ausnahme: Wenn ausdrücklich mehr als eine Antwort, Angabe etc. verlangt wird!)

Gesamtergebnis

30–28 Punkte = sehr gut
27–24 Punkte = gut
23–19 Punkte = befriedigend
18–15 Punkte = ausreichend
13,5 bzw. 14 Punkte = nicht bestanden, ausgleichbar*
13– 0 Punkte = nicht bestanden

---

* Im Gesamtergebnis werden halbe Punkte – auch bei 13,5 Punkten – auf den nächsthöheren vollen Punkt aufgerundet.

Hilfen zur Benutzung der Folien und der Dias

REIHE 1: Die Liebe und die liebe Familie

Dia Nr. 1
Beschreibung: Ein Lebkuchenherz, wie es sie auf Volksfesten gibt: z. B. auf dem Oktoberfest in München. Der Text darauf heißt „Mit 17 hat man noch Träume". Es ist der Titel eines bekannten Schlagers des Sängers Udo Jürgens:
Mit 17 hat man noch Träume,
da wachsen noch alle Bäume,
in den Himmel der Liebe ...
Aufgaben: Wie fühlt man sich, wenn man 17 Jahre alt ist? Was wünscht man sich? Was halten Sie von dem Spruch Jugendlicher: Traue keinem über 30? Gibt es in Ihrem Land so etwas wie ein Generationenproblem? Ab welchem Alter sollte man folgende Rechte haben: zu wählen, zu heiraten, aus der elterlichen Wohnung auszuziehen? Warum?

Folie Nr. 1/Dia Nr. 2
Beschreibung: Wir sehen einen bunten, hübschen Strauß mit getrockneten Blumen (Strohblumen). Er ist nicht ganz billig, wie man auf dem Preisschild sieht.
Aufgaben: Haben Sie ausgefallene Ideen, was man tun kann, um dem Partner zu zeigen, daß man ihn liebt? Lassen Sie *Wenn-dann*-Sätze bilden. Sie geben evtl. ein Stichwort:
Blumenstrauß: Wenn ich verliebt bin, dann pflücke ich auf einer Wiese einen Blumenstrauß.
Frühstück: Wenn ich verliebt bin, dann bringe ich das Frühstück ans Bett.
Ebenso: Restaurant, Liebeserklärung, Heiratsantrag, Essen, Kino, Spaziergang, etc. Sie können auch Verben vorschlagen: flüstern, umarmen, tanzen, telefonieren, einladen, denken, etc.

Folie Nr. 2/Dia Nr. 3
Beschreibung: Auf dem Rasen liegt ein junges Paar. Sie fühlen sich offenbar ganz ungeniert und schmusen miteinander. Es scheint sich um einen öffentlichen Park zu handeln.
Aufgaben: Wer unterhält sich worüber? Was denken besonders ältere Leute bei diesem Anblick? Was denken Sie selbst?

Dia Nr. 4
Beschreibung: An einer Wand hängt ein Schild mit der Aufschrift: „Das Spielen der Kinder auf Hof, Flur und Treppen sowie das Umherstehen vor der Haustür ist verboten. Der Wirt."
Aufgaben: Meinen Sie, daß Kinder eine Belästigung für viele Erwachsene sind? Wo sollten sich Kinder zum Spielen aufhalten, wo besser nicht? Nennen Sie Gründe.

Folie Nr. 3/Dia Nr. 5
Beschreibung: Wir sehen ein Haus mit einem Vorgarten, in dem sich einige Gänse befinden. Im Vordergrund steht ein kleiner Schuppen für die Gartengeräte, vielleicht

ist es auch der Stall für die Gänse. Im Garten blühen viele Blumen. Es handelt sich um ein Wohnhaus auf dem Land.

Aufgaben: Welche Vorteile hat das Leben auf dem Land, welches sind die Nachteile gegenüber dem Leben in der Stadt? Geben Sie evtl. einige Stichworte als Hilfen: Luft, Garten, Kontakt zu Tieren und Pflanzen, Familienleben, Umgang der Menschen untereinander, Einkaufsmöglichkeiten, Entfernungen, Anonymität, Spielmöglichkeit für Kinder, Schule, Beruf, kulturelles Angebot, etc.

REIHE 2: Medien

Folie Nr. 4/Dia Nr. 6

Beschreibung: Auf dem Dia sehen wir ein Telefon, das auf einem automatischen Anrufbeantworter steht.

Aufgaben: Welche Aufgabe hat ein automatischer Anrufbeantworter? Welche Nachricht wird uns beispielsweise mitgeteilt? (Hier ist der automatische Anrufbeantworter Praxis Dr. Krause. Leider ist der Arzt momentan nicht erreichbar. In dringenden Fällen rufen Sie bitte den Notruf mit der Nummer eins – eins – null an. Für meine Patienten bin ich ab morgen wieder erreichbar. Sie können aber auch jetzt eine Nachricht hinterlassen, ich rufe zurück. Bitte nennen Sie Ihren Namen und Ihre Telefonnummer. Bitte sprechen Sie jetzt!)

Wie fühlt man sich, wenn man mit einem automatischen Anrufbeantworter spricht?

Dia Nr. 7

Beschreibung: Auf einem Tisch stehen oder liegen mehrere Bücherbände. Es handelt sich dabei um Lexika aus der Reihe „Der große Brockhaus". (Diese Lexikonreihe zählt neben „Meyers Konversationslexikon" zu den bekanntesten.)

Aufgaben: Was ist ein Lexikon? Was kann man damit machen? Zur Zeit wird das Wissen aus vielen Büchern in Computer eingegeben. Warum?

Folie Nr. 5/Dia Nr. 8

Beschreibung: Auf dem Bildschirm eines Fernsehgeräts sieht man eine gerngesehene Information: den Wetterbericht. Das Wetter in Deutschland scheint unterschiedlich zu werden. Im Westen wird es Sonnenschein geben, im Osten dagegen verläuft von Norden nach Süden ein Regengebiet. Politische Grenzen sind auf der Wetterkarte nicht eingezeichnet, das Wetter nimmt darauf auch keine Rücksicht.

Aufgaben: Wie genau sind Ihrer Meinung nach die Wettervorhersagen? Welche Sendungen sehen Sie im Fernsehen am liebsten, und warum?

Dia Nr. 9

Beschreibung: Wir befinden uns in einer öffentlichen Bücherei (Bibliothek), die Bücher stehen nach verschiedenen Themen und Autoren geordnet in den Regalen. Ein Mann sucht in einer Kartei nach Informationen.

Aufgaben: Wie findet man ein bestimmtes Buch? Was ist ein alphabetischer und was ein systematischer Katalog? Was müssen Sie bei der Ausleihe von Büchern beachten?

Folie Nr. 6/Dia Nr. 10
Beschreibung: Man sieht Bilder verschiedener Größen und Stilrichtungen.
Aufgaben: Welche Rolle spielen Bilder in den Massenmedien? Welche Art von Bildern lieben Sie? Was ist der Unterschied zwischen einem Foto und einem gemalten oder gezeichneten Bild? Was ist ein Film? Kennen Sie deutsche Maler oder Stilrichtungen in der Malerei?

REIHE 3: Krieg und Frieden

Folie Nr. 7/Dia Nr. 11
Beschreibung: Wir befinden uns auf einem Militärfriedhof. Bis zum Horizont reichen die weißen Kreuze über den Soldatengräbern.
Aufgaben: Lassen Sie zunächst freie Assoziationen zum Bild zu. Woran denken Sie, wenn Sie dieses Bild sehen? Stellen Sie evtl. zusätzliche Fragen, wie: Gibt es Ihrer Meinung nach gerechte Kriege? Gibt es Werte, für die man im Krieg sein Leben lassen sollte? Warum besuchen Politiker Soldatenfriedhöfe und legen Kränze nieder?

Folie Nr. 8/Dia Nr. 12
Beschreibung: Wir sehen zwei Aufkleber. Der linke Aufkleber stammt von einer Gruppe von Ärzten. Sie wenden sich gegen die atomare Bedrohung. Der rechte Aufkleber richtet sich gegen die Atomkraft generell, also auch gegen die friedliche Nutzung der Atomenergie.
Aufgaben: Wie sähe die medizinische Versorgung nach einem atomaren Schlagabtausch aus? Könnten die Ärzte der Zivilbevölkerung helfen? Besteht Ihrer Meinung nach ein Zusammenhang zwischen dem Bau von Kernkraftwerken und dem Bau von Atombomben? Sollte man, wie beispielsweise die Bundesrepublik, Kernkraftwerke exportieren? Halten Sie es für richtig, daß die Organisation „Ärzte gegen den Atomkrieg" den Friedensnobelpreis 1985 erhalten hat?

Folie Nr. 9/Dia Nr. 13
Beschreibung: Wir sehen einen ABC-Schutzraum der Marke Känguruh. Er soll vor (a)tomaren, (b)iologischen und (c)hemischen Waffen schützen. Der Bunker wird in den Garten eingegraben und soll bei einem atomaren Angriff Schutz bieten.
Aufgaben: Würden Sie so einen Schutzraum in Ihren Garten stellen lassen? Handelt es sich nur um ein Geschäft mit der Angst, oder sehen Sie einen sinnvollen Schutz darin? Was halten Sie von der Existenz biologischer und chemischer Waffen?

Dia Nr. 14
Beschreibung: Wir befinden uns vor dem Brandenburger Tor. Hier verlief früher die Mauer zwischen West- und Ost-Berlin. Es ist das erste Weihnachtsfest nach der Vereinigung der Stadt 1990.
Aufgabe: Was hat Ihrer Meinung nach dazu beigetragen, daß sich Deutschland wiedervereinigen konnte?

Dia Nr. 15
Beschreibung: Man sieht Soldaten der Bundeswehr in ihrer Uniform. Sie tragen Gewehre über den Schultern.
Aufgabe: Hat die Bundeswehr nach der Ost-West-Entspannung noch einen Sinn?

REIHE 4: Naturwissenschaft und Technik

Folie Nr. 10/Dia Nr. 16
Beschreibung: Man sieht eine Stadt. Am Himmel über der Stadt schweben mehrere Ballons aus verschiedenen Ländern und ein Zeppelin. Auf der Erde und in den Gondeln der Ballons winken sich Menschen zu. Es herrscht eine fröhliche Stimmung wie auf einem Volksfest; die Menschen lassen Luftballons steigen, und ein Mann mit einem Leierkasten, auf dem eine Katze liegt, winkt uns zu.
Aufgaben: Warum können Ballons und Zeppeline fliegen? Haben Sie einmal einen Flugtag besucht? Berichten Sie darüber. Welche Entwicklung hat die Luftfahrt seit den Tagen des Zeppelins gemacht?

Dia Nr. 17
Beschreibung: Auf dem Bild sieht man eine Satelliten-Empfangsstation. Es ist eine große Parabolantenne. (Sie liegt in Raisting in Oberbayern.) Im Vordergrund sieht man Felder, und im Hintergrund sieht man ein Dorf mit einer Kirche.
Aufgaben: Sehen Sie auf diesem Bild einen Kontrast zwischen Tradition und Fortschritt? Kann man die „Antenne" und die „Kirche" mit dem „Himmel" verbinden? Bedeutet Technik immer Fortschritt?

Folie Nr. 11/Dia Nr. 18
Beschreibung: Hier sind zwei Satelliten abgebildet. Man erkennt an den glänzenden Flächen die Solarzellen, mit deren Hilfe die Satelliten ihre Energie im Weltraum aus dem Sonnenlicht gewinnen.
Aufgaben: Nennen Sie die Aufgaben der Satelliten. Was halten Sie von dem Projekt einer „strategischen Verteidigungsinitiative (SDI)", bei dem durch Satelliten gegnerische Angriffsraketen zerstört werden sollen?

Folie Nr. 12/Dia Nr. 19
Beschreibung: Wir sehen zwei Spezialautos. Sie sollen helfen, die Qualität der Luft zu überwachen. Zwei Techniker zeigen auf eine Karte, auf der die Luftverschmutzungen eingezeichnet sind.
Aufgaben: Woher kommen die Verschmutzungen von Luft und Wasser? Was kann man dagegen tun? Gibt es in Ihrem Land auch Probleme mit dem Umweltschutz?

Dia Nr. 20
Beschreibung: Wir sehen verschiedene Symbole (Piktogramme), die auf die Sicherheit am Arbeitsplatz hinweisen.
Aufgaben: Welche Bedeutung haben die einzelnen Symbole? Wie kann man sich oder andere vor Unfällen schützen?

REIHE 5: Aus der Welt der Wirtschaft

Folie Nr. 13/Dia Nr. 21
Beschreibung: Wir sehen das Vorzimmer eines Chefs. Die Sekretärin sitzt am Computer. Die Tür zum Chefzimmer steht offen. Man sieht das Porträt eines älteren Herrn, vielleicht handelt es sich um den Firmengründer.

Aufgaben: Spielen Sie den Dialog zwischen Sekretärin und Chef. Die Sekretärin sollte mit ihren guten Eigenschaften argumentieren (pünktlich, zuverlässig, fleißig, schnell, ordentlich, begabt, gut ausgebildet, etc.).

Dia Nr. 22

Beschreibung: Zwei junge Mädchen stehen an einer Bohrmaschine. Das blonde Mädchen hält ein Papier in den Händen; wahrscheinlich handelt es sich um eine Konstruktionszeichnung.
Aufgaben: Warum lernen nur wenige Mädchen einen technischen Beruf? Welche Rolle haben Ihrer Meinung nach die Frauen in der Wirtschaft der Bundesrepublik? Wie sieht es mit der Gleichberechtigung von Mann und Frau am Arbeitsplatz in Ihrem Land aus?

Folie Nr. 14/Dia Nr. 23

Beschreibung: Ein weißer und ein roter Behälter (Eisencontainer) stehen nebeneinander. Auf ihnen steht „Weißglas" und „Buntglas" geschrieben.
Aufgaben: Was für Behälter sind das? Glauben Sie, daß die Leute in der Bundesrepublik solche Behälter benutzen, um leere Glasflaschen hineinzuwerfen? Was bedeutet Recycling (Wiederverwertung von Rohstoffen)? Ziehen Sie Einwegflaschen bzw. Aluminiumdosen den Pfandflaschen vor? Leben wir in einer Wegwerfgesellschaft? Welche Auswirkungen hat das für den Umweltschutz?

Folie Nr. 15/Dia Nr. 24

Beschreibung: Ein Schild mit den Namen von verschiedenen Geschäften, die sich in der Einkaufszeile (Passage) am Bahnhof befinden.
Aufgaben: Was kann man in den verschiedenen Geschäften kaufen bzw. welche Dienstleistungen werden dort angeboten?

Dia Nr. 25

Beschreibung: Man sieht eine Demonstration des Deutschen Gewerkschaftsbunds (DGB) zum 1. Mai. Der 1. Mai ist als „Tag der Arbeit" ein Feiertag in der Bundesrepublik. Auf dem Spruchband wird gegen die Arbeitslosigkeit protestiert.
Aufgaben: Wie wird der 1. Mai in Ihrem Land gefeiert? Was kann der Staat gegen Arbeitslosigkeit tun? Was kann man selbst tun, wenn man arbeitslos ist? Welche Aufgaben haben die Gewerkschaften?

REIHE 6: Ausländer und Deutsche

Folie Nr. 16/Dia Nr. 26

Beschreibung: Auf einer Hauswand stehen zwei Inschriften: „Denken" und „Türken sind Scheiße!" Eine der Inschriften ist bereits einmal mit weißer Farbe übermalt worden. Dies hat jedoch nichts genützt, denn die Inschrift wurde erneuert.
Aufgaben: Was denken und fühlen Leute, die Hauswände beschmieren? Gibt es auch in Ihrem Land Ausländerfeindlichkeit?

Dia Nr. 27

Beschreibung: Ein Baum steht auf einem Felsen. Seine Wurzeln haben sich fest um den Felsen in die Erde eingegraben.

Aufgaben: Warum sind viele Menschen fest mit ihrer Heimat verwurzelt? Haben Sie selbst manchmal Heimweh? Bedeutet der Begriff „Vaterland" für Sie etwas Positives?

Folie Nr. 17/Dia Nr. 28
Beschreibung: Jemand sitzt auf dem Bürgersteig. Vor ihm liegt eine Mütze, in die Leute einige Münzen geworfen haben. Auf dem Blatt Papier steht: Ohne Heimat – ohne Wohnung – bitte um eine Spende – danke. Der Mann bettelt.
Aufgaben: Kann man Bettlern wirklich helfen, wenn man ihnen etwas Geld gibt? Gibt es Ihrer Meinung nach Armut in der Bundesrepublik?

Folie Nr. 18/Dia Nr. 29
Beschreibung: Auf dem Bild gibt es verschiedene Dinge, die für viele Menschen die Ursache oder die Folge ihrer Probleme sind: Tabletten, Spirituosen, Zigaretten, Rauschgift.
Aufgaben: Die Zahl der Suchtgefährdeten nimmt in der Bundesrepublik weiter zu. Worin sehen Sie die Ursachen? Was macht süchtig? Wie kann man Süchtigen helfen?

Dia Nr. 30
Beschreibung: Zwei Menschen von verschiedener Hautfarbe sind miteinander im Gespräch. Sie tragen sportliche Kleidung. Der Weiße hat seinen Arm auf die Schulter des Schwarzen gelegt.
Aufgaben: Was drückt das Bild für Sie aus? Verbindet der Sport die Menschen verschiedener Rassen?

REIHE 7: Reisen, Auto und Verkehr

Dia Nr. 31
Beschreibung: Zwei Radfahrer fahren an einem alten Bauernhaus vorbei. Das Bauernhaus ist aus Ziegelsteinen gebaut, mit Stroh gedeckt und typisch für Norddeutschland.
Aufgaben: Welche Vor- und Nachteile bringt das Radfahren mit sich? Würden Sie gern eine Radtour in der Bundesrepublik unternehmen? Wie würden Sie das planen? Was würden Sie gern sehen?

Dia Nr. 32
Beschreibung: Ein Mädchen sitzt auf einer Leitplanke neben der Autobahn und streckt den Arm aus, um ein Auto anzuhalten und ein Stück mitgenommen zu werden. Sie trampt (fährt per Anhalter) allein.
Aufgaben: Würden Sie als Autofahrer anhalten, um das Mädchen mitzunehmen? Würden Sie Ihren Kindern zum Trampen raten, um Fahrgeld zu sparen? Haben Sie gute oder schlechte Erfahrungen beim Trampen gemacht? Berichten Sie davon.

Folie Nr. 19/Dia Nr. 33
Beschreibung: Wir sehen ein Haus, das dicht an der Straße steht. An der Hausecke, die zur Straße zeigt, ist ein großes Loch in der Mauer.

Aufgaben: Wie ist das Loch in dem Haus entstanden? Wie ist wohl der Unfall passiert? Übernehmen Sie Rollen: Hausbewohner, Autofahrer, Arzt, Polizeibeamter. Erzählen Sie, was Sie gesehen oder gehört haben und was Sie getan haben.

Folie Nr. 20/Dia Nr. 34
Beschreibung: Wir stehen vor einer Notrufsäule neben der Autobahn. An einer Notrufsäule kann man die Polizei über eine Panne oder einen Unfall informieren.
Aufgaben: Schildern Sie klar und deutlich, wer Sie sind, was an welcher Stelle passiert ist und welche Art von Hilfe Sie erwarten.

Folie Nr. 21/Dia Nr. 35
Beschreibung: In einer Gastwirtschaft wird an der Theke Bier in Maßkrügen (Inhalt 1 Liter) ausgeschenkt. Darüber hängt ein Schild: „Denke daran, daß du heute noch nach Hause fahren mußt!"
Aufgaben: Sind Sie nach einer Maß Bier noch fahrtüchtig? Was fällt Ihnen ein zum Thema „Alkohol am Steuer"?

Inhalt des Arbeitsbuches (Best.-Nr. 368)

Jede Lektion im Arbeitsbuch besteht aus drei Teilen:

1. einem **Textteil**

In diesem Teil werden die Texte des Lehrbuchs aufgegriffen. Hinführung zum Text und Aufgaben zu Leseverständnis und Textbearbeitung erleichtern den Umgang mit den vielfältigen Textsorten des Lehrbuchs. Es soll deutlich werden, daß es verschiedene Wege der Annäherung und Textarbeit gibt, die zu vertieftem Verständnis führen.

2. einem **Grammatikteil**

In diesem Teil werden die grammatischen Probleme, die das Lehrbuch anschneidet, aber naturgemäß weder systematisch darstellen noch ausreichend üben kann, vertieft. Wichtige Regeln und abwechslungsreiche Übungsformen auf dem Niveau eines Mittelstufenkurses helfen bei der Bewältigung dieses oft schwierigen Stoffes.

3. einem **Teil zum mündlichen bzw. schriftlichen Ausdruck**

Das Arbeitsbuch eröffnet in diesem Teil die Möglichkeit, mit dem Gelernten frei zu arbeiten. Inhaltlich sind die Aufgaben an das jeweilige Thema der Lektion gebunden. Formal handelt es sich um unterschiedlichste Aufgabenstellungen, die sowohl mündlich als auch schriftlich bearbeitet werden können. Sicher ergeben sich hier zahlreiche Möglichkeiten zu Gesprächen, zur Meinungsbildung und zur Information. Häufig wird es sich anbieten, ein Thema im Unterricht mündlich zu behandeln und es dann zu Hause schriftlich formulieren zu lassen, ebenso können aber auch Referate vorbereitet werden (in Gruppenarbeit, als Hausaufgabe usw.). Auch dieser Teil ist – wie die übrigen – an der Mittelstufenprüfung des Goethe-Instituts orientiert.

Dazu: Schlüssel – Best.-Nr. 369

Inhalt des Arbeitsbuches *mit Prüfungsvorbereitung* (Best.-Nr. 379)

Zusätzlich zu den oben beschriebenen Bestandteilen des Arbeitsbuches enthält diese alternative Fassung vorbereitende Aufgaben zur Zentralen Mittelstufenprüfung mit 17 neuen Hörverstehenstexten (Interview, Geschäftstelefonate, Vortrag, Gesprächsrunden) sowie Übungen zu Lesestrategien.

Dazu: Schlüssel – Best.-Nr. 381
2 Audiocassetten mit den Hörverständnisübungen zur Prüfungsvorbereitung – Best.-Nr. 380

Notizen